다 시
겨 울

| 송영호 지음 |

다시 겨울

발 행 | 2024년 02월 13일
저 자 | 송영호
펴낸이 | 한건희
펴낸곳 | 주식회사 부크크
출판사등록 | 2014.07.15(제2014-16호)
주 소 | 서울특별시 금천구 가산디지털1로 119 SK트윈타워 A동 305호
전 화 | 1670-8316
이메일 | info@bookk.co.kr

ISBN | 979-11-410-7159-2

www.bookk.co.kr

다　시
겨　울

| 송영호 지음 |

책을 내면서

벌써 네 번째 책이다. 하나같이 아무도 읽어주지 않았다. 정성스레 포장까지 해서 건넸건만 읽지 않았다. 꼭 읽겠다던 철석 같은 약속도 신기루처럼 사라졌다. 읽었는지 그렇지 않았는지 알 길이 없다. 아무도 말을 하지 않았다. 읽었냐고 묻기가 민망하다. 어땠냐는 질문이라도 받을까 상대도 불안해 하는 눈치다. 뼈와 살을 갈아 넣었건만 괜한 수고를 한듯하다. 어차피 읽어 달라 쓴 책도 아니지만 결과는 비참했다. 이번 책은 주위에 알리지 않을 작정이다.

그래도 열렬한 독자는 있었다. 아흔을 바라보는 내 노모(老母)다. 밝지 않은 눈으로 문장 하나하나를 읽었다. 아들이 쓴 글이라 단어 하나 허투루 읽지 않았다. 찾아오는 사람도 없는데 눈에 띄는 곳에 책을 두었다. 다음 책은 언제 나오냐며 은근 기대하는 눈치다. 수고가 헛되지 않았음을 느낀다.

한 사람의 독자만 있어도 글을 쓸 이유는 충분하다. 그 독자가 내 노모(老母)라면 이유는 더 분명해진다. 겨울 한철을 겨울이야기로 보냈다. 얼른 내 유일한 독자에게 이 책을 건네고 싶다. 올 봄 노모(老母)의 제법 괜찮은 소일거리가 될 것이다.

차   례

책을 내면서 004

갑자기 겨울 007

속초에서의 겨울 012

그 남자의 겨울 이야기 030

태백산 납치 사건 046

동지(冬至)ㅅ달 기나긴 밤을 061

설국(雪國) 홋카이도 071

12월의 셋째 주 어느 날 090

겨울 길 선재길 107

눈 내린 종묘 124

궁금한 크리스마스 141

겨울 속의 봄을 찾아서 157

잘 가요 겨울 173

갑자기 겨울

갑자기 겨울이다. 제대로 된 선전포고 조차 없다. 일기예보 한 꼭지가 선전포고의 전부다. 시베리아 고기압 운운하는 기상 캐스터의 말 한마디로 겨울은 시작된다. 보통은 늦가을 짧은 비와 함께다.

겨울! 그 등장은 언제나 당당하다. 개선장군이 따로 없다. 올 듯 말 듯 애간장만 태우던 봄과는 완전 딴판이다. 일말의 주저함도 없다. 제집 안방 찾아들 듯 어떤 거리낌도 없다. 온다는 언질이라도 있었으면 좋으련만 겨울은 그다지 살갑지 못하다. 불한당이 따로 없고 무뢰배가 따로 없다. 배려라고는 눈 씻고 찾아봐도 없다. 아량 또한 없긴 마찬가지다.

겨울의 입성(入城)은 동시적이고 다발적이다. 약속이라도 한 듯 한날 한시에 반도(半島)전체로 내려 앉는다. 봄은 아랫마을에서 윗마을로, 가을은 윗마을에서 아랫마을로 조심스럽기만 한데 겨울은 그다지 조심스럽지 못하다. 품위 있고 예의 바르며 예측 가능한 변화는 겨울에 해당되지 않는다. 『그라데이션』, 『시나브로』는 봄가을에나 해당되는 수사(修辭)다. 짧은 가을비를 핑계 삼아 반도 전체를 하루 아침에 움츠려들게 한다.

등장이 무례한 만큼 행사(行事) 또한 고약하다. 한 번 온 겨울은 모든 것을 숨죽이게 한다. 힘겹게 연명하던 뭇 생물의 숨통을 단숨에 끊어 놓는다. 가쁜 숨을 몰아 쉬던 마지막 잎새는 마침내 종말을 고한다. 푸르름을 뽐내던 나무는 어느새 나목(裸木)이 된다. 나무가 옷을 벗으니 산도 옷을 벗는다. 실오라기 하나 없이 무채색 속살을 부끄럽게 드러낸다. 성긴 소나무 몇 그루만이 그 원래 색을 기억하고 있다. 겨울의 고약 행사(行事)는 동물이라고 예외가 아니다. 가을 내

내 겨울 준비 부산했건만 들짐승, 날짐승 먹거리 걱정은 지금부터다. 동장군 위세가 보기 싫어 아예 긴 잠에 든 놈도 있다. 사람이라고 다를 소냐. 김장이다 땔감이다 모든 준비 마쳤지만 겨울이 두렵긴 마찬가지다. 얼른 두꺼운 외투 꺼내보지만 겨울 날 걱정은 그대로다. 차라리 겨울잠에나 들 수 있으면 좋으련만 인간에게는 그런 유전자가 없다. 동장군 입김 따라 하자는 대로 따를 수 밖에 없다. 이토록 무기력하고 이토록 굴욕적일 수 없다.

한번 온 겨울은 세상을 고요케 한다. 재잘거리던 새들도 풀숲으로 숨어들고 밤새 울던 벌레들도 땅으로 스며들었다. 우렁차게 흐르던 계곡물도 이렇게 고요할 수 없다. 꿀 먹은 벙어리가 따로 없다. 쫄쫄 되던 시냇물마저 재잘거림을 잊은 지 오래다. 해병대 순검 시간 마냥 일체의 소리를 허락하지 않는다. 빨리 지는 해에 어둠은 금방 찾아오고 골목을 떠들썩하게 하던 아이들도 일찍 놀이를 파한다. 저녁밥 부름을 끝으로 골목은 적막하다. 가을을 잊지 못하는 늙은 낙엽만이 할 일 없는 장에 볼 일 없는 사람처럼 바람 따라 뒹군다. 이 또한 별스런 소리를 내지 못한다. 차가운 북서풍만이 소리를 질러 된다. 물 만난 고기 마냥 혼자서 울어 된다. 동장군 위세를 등에 업고 새들도 물리고 벌레들도 물리고 개구쟁이 꼬마들 마저 물리고 혼자서 울어 된다. 눈이라도 소리 내어 내리면 좋으련만 눈마저도 고요하다. 들키면 큰 일이라도 나는 냥 도둑 내림을 한다. 초저녁부터 내린 눈은 밤이 새도록 목소리를 삼킨다. 을씨년스러운 바람만이 골목을 휘젓고 다닌다. 독창회다.

영화 대사마냥 겨울은 갑자기 찾아와 또 못살게 군다. 모든 것의 소멸과 모든 것과의 단절이다. 세상만물을 못살게 군다. 가는 가을은 아쉬워하데 오는 겨울은 반가워하지 않는다. 오는 봄은 기다리데 가는 겨울은 아쉬워하지 않는다. 하지만 겨울은 절대 천덕꾸러기가 아니다. 결코 소멸이나 단절일 수 없다. 무지막지한 엄동설한에도 땅속의 씨앗들은 대지를 뚫고 싹 틔울 봄날을 위해 힘을 비축하고 있을 것이다. 땅속으로 숨어든 벌레도 봄날 화려한 변태(變態)를 위한 준비를 게을리 하지 않을 것이다. 개구리 또한 멋지게 평영(平泳)할 경칩(驚蟄)을 꿈꾸고 있을 것이다. 무거운 눈에 고개 숙인 나뭇가지도 하늘 향해 고개 들 날을 기다리고 있을 것이다. 속살 다 드러낸 산야(山野)도 이 모든걸 품기 위해 내성(內省)의 시간을 가지고

있을 것이다. 소멸이니 단절은 겨울이 아니라 가을이
다. 소멸이나 단절은 과정이다. 겨울은 이 모든 것이
마무리된 상태 그 자체이다. 이미 소멸되고 단절된 상
태에서 겨울은 새로움을 준비하는 것이다. 동지가 지
나면 푸성귀도 새 마음을 먹는다 했다. 지난 계절을
반성하고 다가올 계절을 준비하는 분주한 시간이다.
겨울은 갈무리와 준비의 시간이다. 부활과 새로운 삶
을 위한 쉼과 축적의 시간이다. 겨울은 결코 마침표가
아니다. 쉼표다. 단지 요란스럽지 않을 뿐이다.

속초에서의 겨울

　작년 늦가을 속초로 이사를 왔다. 왔다라고 했으니 지금 이 글은 속초에서 쓰고 있다. 서울에서 춘천으로 젠트리피케이션을 당한 후 두 번째 젠트리피케이션이다. 주거비보다 라이프스타일에 의한 젠트리피케이션에 더 가까웠다. 천정부지로 치솟는 서울 집값이 부담스러웠지만 평수를 줄이거나 하급지로 옮긴다면 서울 생활이 불가능한 것은 아니었다. 하지만 서울을 고집할 이유가 없었다. 직장이 있는 것도 아니고 키워야 할 자식이 있는 것도 아니다. 그렇다고 인간관계가 좋아 만날 친구가 많은 것도 아니다. 같은 주거비라면 훨씬 좋은 환경에서 여유롭게 생활할 수 있을 것 같았다. 친구들이 『Why 속초?』라고 물었다. 걱정한답시고 이런저런 사족을 단다. 걱정이 고맙지만 설명하는 시간들이 힘들었다. 설명은 설득이 되고 결국은 허락을 받아야 할 지경까지 이르렀다. 내 대답은 『Why 서울?』이었다. 마지막 자존심으로 주거비는 줄이지 않았다. 집주인과 의미 없는 인사를 나누고 춘천을 떠난다. 『이 집에 살면서 좋은 일이 많았습니다. 잘 살다가 갑니다』라는 인사에 『집을 깨끗이 써주셔서 저희가 더 감사합니다』라는 답변이다. 상견례 자리가 따로 없다. 짧은 인사를 뒤로하고 속초로 향한다. ♬이제 다시 시작이다! 늙은이의 꿈이여!♬

백두대간을 넘는다. 정확하게는 대간의 아래를 통과한다. 대간 서쪽 인제와 대간 동쪽 양양을 지켜울 만큼 긴 터널이 연결한다. 옛날 속초 가는 길은 이 길이 아니었다. 양평, 홍천, 인제를 지나 미시령 고개를 넘는 게 유일했다. 좁은 국도는 관광객의 동진(東進)을 다 담아내지 못했다. 꼬리에 꼬리를 무는 행렬은 홍천까지 계속되었다. 홍천을 지나서야 겨우 제 속도를 낼 수 있었다. 어느 해인가 해맞이하러 속초 가던 길에 홍천에서 새해 일출을 본 기억이 있다. 지금은 서울양양고속도로 덕분에 그런 수고가 필요 없고 그런 추억도 사라졌다. 터널 중간중간에 운전자의 졸음을 깨우는 신박한 장치가 있다. 달리는 자동차 바퀴 밑에서 음악 소리가 들린다. 음악이라기 보다 귀신 울음 소리에 가깝다. ♬도미솔 도미솔 라라라솔♬이다. ♬무엇이 무엇이 똑같을까♬다. 속도가 빨라질수록 박자도 빨라졌다. 총 길이 11 킬로의 터널을 빠져나오면 이내 양양이다. 속초까지 고속도로를 이용할 수 있지만 바다 보고 싶은 마음에 양양 톨게이트를 빠져 나온다. 앞으로 지겹도록 볼 바단데 뭐가 그리도 급한지 굳이 국도를 고집한다. 이사 차는 5 톤 트럭이니 아무래도 나보다 늦을 것이고 식사 후 작업을 시작한다 했으니 그만큼 여유를 부릴 수 있는 것이다. 양양읍내를 지나 차는 북쪽으로 방향을 잡는다. 그 유명한 7 번 국도다. 낙산해수욕장을 알리는 고동색 안내판이 보이지만 바다는 여전히 보이지 않는다. 멀리 하얀 눈을 뒤집어 쓴 설악산이 언뜻언뜻 얼굴을 비칠 뿐이다. 지난 주 내린 서설이 녹지 않은 듯 하다. 오봉산 낮은 고개를 넘어서자 드디어 바다다. 푸르디 푸르다. 후진항을 지나 정암해변에 이르자 길은 바다 쪽으로 바짝 붙었다.

그제서야 여기가 속초임을 느낄 수 있었다. 그런데 뭔가 이상하다. 시내로 들어올수록 왠지 낯설다. 사실 속초만큼 상전벽해(桑田碧海)를 이룬 곳도 드물다. 10여 년 전만해도 한산한 어촌마을에 불가했던 속초가 지금은 해외 유명 관광도시와 비교해도 손색이 없을 정도다. 작은 해운대라고 불리고 서울시 속초구라고도 불린다. 대포항부터 속초해수욕장까지 유명 리조트와 숙박시설들이 즐비하고 속초아이라고 불리는 대관람차가 이곳이 랜드마크임을 증명하고 섰다. 속초항과 동명항 부근에는 소위 메이커 아파트라고 하는 프리미엄 아파트들이 키 재기를 하고 있다. 청초호 주변도 변화를 비켜가지 못했다. 호수 주변을 따라 고급 호텔들이 속속 들어서 이국적인 경치를 자아낸다. 무분별한 개발에 주민들 걱정도 많았으나 다행스럽게도 아직까진 괜찮은 듯하다. 적어도 아직까진. 아마도 뛰어난 자연경관이 웬만한 난개발쯤은 모두 품어내는 듯하다. 상전벽해가 됐든 난개발이 됐든 내 이삿짐은 이미 백두대간을 넘었고 난 속초에서 살아야 한다. 그 첫 번째 계절이 겨울이었다.

춘천은 비참할 정도로 추웠다. 분지에다 호수까지 있어 습기 품은 한파가 지겹도록 나를 괴롭혔다. 두꺼운 내의가 아니고는 겨울을 날 수 없었다. 날씬하지 않은 체형에 내의까지 입었으니 겨울에는 유난히 더 뚱뚱해 보였다. 속초에서의 첫 아침이다. 창문을 활짝 열어 젖혔다. 공기가 한결 부드럽다. 영동이 영서보다 따뜻하다 배운 기억은 있다. 하지만 그 이유는 기억나지 않았다. 마지막 자존심으로 주거비를 줄이지 않은 탓에 거실 앞으로 보이는 경치가 그야말로 예술이다. 서울을 고집했더라면 앞 동 부엌에 난 작은 창문을 마주해야 했을 것이다. 소위 부엌 창문뷰다. 하지만 이곳은 온전한 바다뷰. 바다뷰~티풀이다. 거실 왼쪽 끝에서 오른쪽 끝까지 죄다 바다다. 백두산은 닳든 말든 동해 물은 마를 일이 절대 없어 우리나라는 영원히 만세다. 혹시 미국이나 일본 혹은 다른 나라 국가(國歌) 가사를 찾아본 적이 있는가? 우리 애국가만큼 인간적이고 평화지향적인 가사는 없다. 비록 친일파 작사가에 의해 씌어졌지만 애국가 가사에서 나는 국뽕을 느낀다. 눈 앞으로 경이로운 풍경이 펼쳐졌다. 아무래도 일 이분 짧은 감상으로는 모자랄 듯싶다. 다리가 아프다. 앉아서 바다를 즐기고 싶었다. 서재에 있던 길다란 책상을 거실 유리창 앞으로 가져왔다. 나란히 앉을 사람도 없는데 의자는 두 개를 준비했다.

겨울이라 그런지 해돋이가 늦었다. 7 시반이 넘어서야 수평선이 색감을 내기 시작했다. 윤슬이 넓디 넓은 바다위로 퍼졌다. 오렌지색도 아니고 주황색도 아닌 설명하기 어려운 색이었다. 분명 같은 톤인데 농도는 달랐다. 아마도 농도가 가장 짙은 곳에서 태양이 떠오를 것이다. 그곳을 주시했다. 아니나 다를까 그곳에서 태양이 떠 올랐다. 경이로웠다. 용광로에서 갓 뽑아낸 선철(銑鐵)같은 색깔이었다. 처음엔 빼꼼 모습을 보이더니 이내 반원을 이루고 오래지 않아 제 모습을 온전히 드러냈다. 순식간의 일이었다. 진짜 순식간이었는지 아니면 경이로운 광경에 넋을 잃어 순식간으로 느껴졌는지 확실하진 않다. 하지만 오랜 시간이 아니었음은 틀림없는 사실이다. 밤새 쳐놓은 그물 걷으러 나가는 배와 밤새 쳐놓은 그물 걷고 돌아오는 배가 바다에 브이(V)자 흔적을 남기며 바삐 오간다. 바다가 잔잔할수록 V 자는 더 커질 것이다. 이방인에게는 이토록 경이로운 일출도 그들에게는 대수롭지 않아 보인다. 가야 할 길을 가고 돌아와야 할 길을 돌아온다. 그저 무심할 뿐이다.

왠지 표현이 부족하다. 메마른 감성과 모자란 글재주가 문제다. 과장까진 아니더라도 좀 더 성의 있게 표현해야 한다. 몇 문장 덧붙인다고 좋아질 기미가 보이지 않는다. 중언부언이 될 것이다. 아무래도 이번 생(生)에는 여기까진가 보다. 그렇다고 포기할 순 없다. 정녕 안 된다면 어디서라도 빌려와야 한다. 조선 영조 때 의유당이 쓴 동명일기가 좋겠다. 의유당은 남편을 따라 임지(任地)인 함흥으로 가게 되는데 일출을 구경하고 싶었다. 마침내 3 년만에 일출을 구경할 수 있었다. 동명일기는 그 때의 감흥을 표현한 작품이다. 여성이 쓴 한글 수필로 뛰어난 묘사와 자유분방한 필치가 돋보인다. 나의 짧은 글재주를 300여년 전 규방 문학작품의 일부를 빌어 채워볼까 한다.

『이윽고 날이 밝으며 붉은 만경창파(萬頃蒼波) 일시에 붉어 하늘에 자욱하고, 노(怒)하는 물결 소리 더욱 장하며, 홍전(紅氈)같은 물빛이 황홀하여 수색(水色)이 조요(照耀)하니, 차마 끔찍하더라. 붉은 빛이 더욱 붉으니 마주선 사람의 낯과 옷이 다 붉더라』 왜 나는 끔찍하다는 표현을 생각지 못한 걸까. 답답하기 이를 데 없다.

해만 동쪽에서 뜨는 것이 아니었다. 달도 동쪽에서 떴다. 서울에서는 모를 일이었다. 보름달 뜬 날 비로소 알게 된 사실이다. 거실창 좌상귀 모서리에 달이 걸렸다. 아무런 전조도 없었다. 달은 도둑고양이 걸음을 하고 있었다. 해돋이와 달리 요란하지 않았다. 달은 밝았지만 차갑게 느껴졌다. 바다에 비친 달빛 또한 마찬가지였다. 차가운 겨울하늘에 달이 걸린 탓이요 그만큼이나 차가운 겨울바다에 달빛이 내린 탓일 것이다. 어릴 적 추석날 밤이었다. 큰집 다녀오는 길에 아버지께 업어달라 졸랐다. 실상은 폭죽 소리가 무서워 업히고 싶었는데 다리가 아프다고 꾀병을 부렸다. 거나하게 취하신 아버지가 나를 업었다. 집으로 가는 오르막길에 뒤를 돌아보았다. 하늘에 보름달이 휘영청하고 떴다. 따뜻하게 느껴졌다. 실은 아버지의 등이 따뜻했다. 쉰이 넘어 마주하는 오늘밤 달은 차갑다. 겨울이 아니었어도 마찬가지였을 것이다. 흔히들 경포대에는 달이 다섯 개 뜬다고 한다. 하늘에 바다에 호수에 술잔에 그리고 내님의 눈동자에. 여긴 하나가 모자란다. 내님의 눈동자가 없다. 하지만 거실창 모서리에 걸린 저 달 하나면 충분하다. 비록 차가운 달이지만.

　겨울이 깊어 갈수록 바다가 더 좋아진다. 겨울바다가 좋다는 의미다. 뭐니뭐니해도 바다 하면 여름이다.

작렬하는 태양과 푸른 바닷물, 귓전을 때리는 높고 낮은 파도소리, 간간히 불어오는 딱 그만큼의 바람, 일사불란하게 줄 맞춘 알록달록한 파라솔, 하얀 파도를 일으키며 질주하는 샛노란 바나나보트, 일몰과 함께 만나는 청량한 여름 밤 그리고 운명적 만남을 찾는 음흉한 눈길 등 모두가 여름바다의 감성들이다. 젊고 낭만적이며 활기차다. 아무리 여름바다가 매력적이라 해도 여름바다만 그렇고 나머지는 별로라는 등식은 성립하지 않는다. 바다를 대표하는 계절이 여름이란 뜻이지 여름바다만 좋고 나머지는 별로라는 의미는 아닐 것이다. 짜장 vs 짬뽕, 찍먹 vs 부먹, 후라이드 vs 양념과 비슷하다. 옳고 그름을 따지는 문제가 아니다. 취향에 따라 어느 쪽을 선택하느냐의 문제다. 바다 자체를 좋아하지 않는 사람도 있겠지만 흔치 않을 것이다. 대부분은 계절 관계없이 바다를 좋아할 것이다. 물론 나도 마찬가지다. 어느 계절이 더 좋냐는 질문에 많은 사람이 여름이라 대답했을 뿐이다. 개인 취향 문제다. 내 취향을 묻는다면 나는 겨울바다다. 계절이 바뀐다고 바다가 바뀌는 것은 아니다. 바다는 그때 그대로다. 철 지난 바다라고 외면하지만 바다는 개의치 않는다. 어차피 여름이라고 으쓱하지도 않았다.

무심한 파도는 여전히 무심하고 하릴없는 갈매기는 여전히 하릴없이 바다 위를 난다. 해안선은 그 때나 지금이나 변함 없고 수평선 또한 딱 그만큼의 높이대로 그어져 있다. 바다에서 바라본 육지는 변할 지 모르지만 육지에서 바라본 바다는 항상 그대로다. 바다는 그대론데 『쓸쓸하다, 을씨년스럽다』는 성의 없는 평가들을 늘어놓는다. 모두 값싼 동정(同情)이다. 오늘 아침에도 바다를 내려다 본다. 해맞이 하는 사람들로 바다는 쓸쓸하지 않았다. 바다는 오늘도 화가 나있었다. 쓸쓸하진 않지만 화는 날대로 나 있었다. 솔직히 평소에도 유순한 편은 아니었다. 남해나 서해보다 화가 많은 것은 사실이다. 겨울이면 그 화는 극에 달한다. 무슨 이유에서인지 겨울만 되면 더 날카롭고 더 예민해진다. 파도는 저 멀리 바다 한가운데부터 이미 화가 가득하다. 잔뜩 몸을 일으키고 육지를 향해 돌진한다. 앞에 놈이 넘어지기 무섭게 뒤에 놈이 위를 덮친다. 발정 난 수캐마냥 서로가 서로의 엉덩이에 올라타기 바쁘다. 좀비들의 질주처럼 보인다. 화를 내는데는 순서가 따로 없다. 자기가 더 화났다고 모두가 아우성이다. 나는 그런 바다가 좋다. 문득 드라마 『키스 먼저 할까요』의 메인 포스트가 떠오른다. 바다를 배경으로 여주인공이 외롭게 섰다. 진한 살구색 코트에 연한 살구색 머플러를 둘렀다. 바다에는 섬이 없다. 겨울바다고 동해바다다. 나는 그런 바다가 좋다. 이사 온 지 두 달이 다 가도록 거실 블라인드를 내린 적이 없다.

이제 바다로 내려간다. 갯배 타고 아바이 마을로 갈 생각이다. 요 며칠 추위에 갯배 바닥이 얼었다. 선착장 콘크리트 바닥에도 얼음이 얼었다. 한겨울 평일이라 손님이 뜸하다. 주말이면 다시 붐빌 것이다. 안면을 틔운 탓에 뱃사공 아저씨와 인사를 나눈다. 설사 안면이 없었더라도 인사를 나눴을 것이다. 누가 먼저라고 할 것 없이 배에 연결된 와이어 줄을 당긴다. 갯배는 움직이기 싫은 듯 어기적거린다. 요금은 편도 500원인데 속초시민은 공짜다. 체험에 나서는 관광객이 없다면 보통은 무임승선자, 속초시민이 배를 끈다. 물론 뱃사공 아저씨와 함께다. 반대편 선착장에 뱃삯받는 아저씨가 기다리고 섰다. 신분증을 보이려는 순간 그냥 가란다. 그새 낯이 익은 모양이다. 별일도 아닌데 어깨가 으쓱해졌다. 골목을 돌아 나오자 아바이 동상이 보인다. 양복차림에 지팡이를 들고 섰다. 춤을 추는 듯 약주를 하신 듯 기분 좋은 포즈를 취하고 있다. 포즈라고 하기에는 너무 역동적이다. 아바이의 어깨에 눈이 쌓였다. 고향을 떠나올 때도 지금 같은 1월이었다. 그때도 청년 아바이의 어깨엔 눈이 쌓였을지 모를 일이다. 어쩌면 고향으로 돌아가기 전까진 영원히 녹지 않을 것만 같았다. 바닷가로도 녹지 않은 눈이 군데군데 쌓였다. 관광객 또한 이쪽저쪽으로 한 무리씩이다. 옛날처럼 실연당한 청춘이나 찾던 겨울바다가 더 이상 아니다. 관광객들의 재잘거리는 소리가 파도를 타고 먼 바다로 퍼져나갔다. 짧은 해가 설악산 너머로 사라진다. 알량한 겨울 해도 햇빛이라고 모습을 감추니 갑자기 추워졌다. 아바이 순댓국이 적당할 듯 하다. 내친김에 소주도 한 병 곁들일 생각이다. 유명한 순댓국 집으로 향한다. 좁은 골목길에 순댓국 집만 십여 개다. 뒤에서 부르는 소리가 들린다. 아마도 내가 어느 식당으로 가는지 아는 듯했다. 『그 집은 부자에요! 우리 집으로 오세요!』 두 마디 말이 많은 생각을 불러일으킨다. 순간 갈등이다. 다음에는 꼭 그 집으로 갈 생각이다. 순댓국 한 그릇으로 주린 배를 채웠고 소주 한 병으로 심란한 마음을 추슬렀다. 날은 저물어 온통 검정색이었다. 재잘거리던 관광객들은 고개 넘어 서울로 돌아갔을 것이다. 나는 좁은 수로(水路)를 갯배로 건넌다.

속초는 산과 바다 그리고 호수를 모두 가진 곳이다. 산은 설악산이고 바다는 동해바다. 호수로는 시내에 청초호가 있고 외곽에 영랑호가 있다. 셋 중 하나만 가져도 자랑으로 입이 바쁠 텐데 속초는 그다지 요란하지 않다. 가진 자의 여유다. 산과 바다로 모자라 호수가 마지막 방점을 찍는다. 화룡점정이다. 청초호는 매립사업으로 네모 반듯하고 영랑호는 자연 그대로라 구불구불하다. 네모 반듯하다 해서 단조롭지 않고 구불구불하다 해서 산만하지 않다. 각각은 각각의 매력을 가졌다. 청초호는 도시의 세련미를 영랑호는 원시의 자연미를 가졌다. 청초호와 영랑호는 더 할 나위 없이 훌륭한 산책코스다. 둘 다 5 킬로 길이로 느린 걸음으로도 1 시간이면 충분하다. 적당한 운동시간이다. 원점회귀 또한 가능하다. 여행이든 등산이든 갔던 길을 다시 돌아오는 코스는 즐기지 않는 편이다. 두 코스 모두 갔던 길을 되짚어 돌아오지 않는다. 무엇보다 좋은 건 두 코스 모두 눈 덮인 설악산 경치를 감상할 수 있다는 점이다. 청초호에서는 설악산의 남쪽 반을 영랑호에서는 설악산의 북쪽 반을 볼 수 있다.

청초호 산책의 하이라이트는 대청봉이며 영랑호 산책의 하이라이트는 울산바위다. 여기서 더 바라면 노욕(老慾)이다. 어디 하나 모자람 없는 코스다. 날씨 따라 그날의 코스를 선택한다. 바람이 많으면 영랑호로 가고 바람이 잦으면 청초호로 간다. 청초호는 개방된 공간이 많아 바람이 불면 호흡이 곤란할 정도다. 대신 영랑호는 높진 않지만 주위에 산이 있어 바람을 막아준다. 청초호를 갈 때는 설악대교를 건넌다. 멀리 오른쪽으로 설악산 대청봉이 보이고 아래로는 잔잔한 호수가 그림 같다. 왼쪽으로는 물론 동해바다다. 한자리에서 속초 3 대장을 모두 볼 수 있다. 산은 눈으로 옷을 갈아입었고 호수는 장판을 간 듯 잔잔하다. 바다는 오늘도 화가 나 성질을 부리고 있다. 산책로 옆으로 철새들이 유유히 노닌다. 철새인지는 정확히 모르겠다. 겨울철새인지 텃새인지는 봄이 되어야 알 수 있을 것이다. 봄에도 그대로 있으면 텃새일 것이고 떠나고 없으면 철새일 것이다. 모두 하나같이 자맥질에 바쁘다. 해녀들 물질마냥 잠수와 부상(浮上)을 반복한다. 물속에서 막 올라온 놈들은 죄다 입을 오물거린다. 뭔가 소득이 있었든지 아니면 아쉬움의 표시이든지. 자맥질은 쉬지 않고 계속된다. 숨비 소리 조차 없다. 갈

대만이 바람 따라 몸을 누인다. 영랑호도 크게 다르지
않다. 철새인지 텃새인지 정체를 밝히지 않은 놈들이 자맥
질을 해댄다. 청초호와 마찬가지로 딱 그만큼의 갈대
가 바람에 몸을 맡긴다. 병풍처럼 펼쳐진 설악산도 딱
그만큼의 눈을 뒤집어 썼다. 속초 원주민이 되기 전엔
몰랐다. 청초호가 이렇게 좋고 영랑호가 이렇게 좋은
줄. 진작에 차에서 내려야 했다. 그리고 걸어야 했다.
뭐가 급했는지 속초의 속살을 모르고 속초를 다녀갔
다.

　이로써 산과 바다 호수를 다 보았다. 보태야 할 곳
이 하나 더 남았다. 서점이다. 속초 시민이 되기 전에
는 절대 알 수 없었던 곳이다. 지방 중소도시에 서점
이 사라진다는 뉴스를 간간이 접한다. 대도시라고 크
게 다르지 않을 것이다. 춘천에서도 즐겨 찾던 서점이
문을 닫았다. 많이 아쉬웠다. 하지만 속초는 다르다.
번듯하고 훌륭한 서점 두 곳이 이웃하고 영업 중이다.
한 곳은 40년 역사고 또 다른 한 곳은 70년 역사다.
한 집 사장님과는 안면을 텄고 다른 집 사장님과는
썸을 타는 중이다. 인구 8만, 크지 않은 도시에 장수
하는 서점이 두 개나 있다는 사실이 놀랍다. 서점 탐
방을 위해 일부러 속초를 찾는 여행객이 제법 많다고

한다. 일부러 찾을 만큼 훌륭한 서점이다. 독립서점이 나가야 할 방향을 명확히 제시하고 있다. 그렇다고 둘이 똑같은 것은 아니다. 영업전략에 미묘한 차이가 있다. 한 서점은 책을 찾으라고 하고 다른 한 서점은 책을 내민다. 마케팅 용어로 한 집은 Pull 전략이고 나머지 한 쪽은 Push 전략이다. 어느 서점이 어떤지는 설명을 생략하겠다. 사용자의 입장에서는 선택지를 가진 셈이다. 개인적으로는 Pull이 좋다. 시간여유가 있을 때면 서점에서 반나절을 보낸다. 한 집에 두 시간씩이다. 누가 봐도 여행객으로 보이는 사람들이 책을 고르고 있다. 대부분이 젊은 여성들이다. 수험서나 학습서가 아닌 영혼의 밑거름을 찾아 서성인다. 왠지 배가 부르다. 훌륭한 서점이 있다는 것은 그 도시의 품격을 대변하는 것이다. 두 서점이 있어 속초의 품격은 그 어디에도 빠지지 않는다. 소설책을 뽑아 넓은 유리창 앞 책상에 앉았다. 아침부터 잔뜩 찌푸린 하늘이 눈을 토해내고 있었다. 눈 내리는 서점 창가에서 프랑스 작가 엘리자 수아 뒤사팽의 소설 『속초에서의 겨울』을 읽었다.

속초의 첫 계절이 겨울이라 다행스럽다. 여름이었다면 바다가 시끄러웠을 것이고 가을이었다면 산이 붐

벗을 것이다. 봄이었다면 화려하고 요란한 변신 탓에
내 정신이 바르지 않았을 것이다. 다행히 겨울이라 한
적하고 조용했다. 내 정신도 맑았다. 한적하고 조용한
만큼 속초를 더 빨리 느낄 수 있었다. 내 정신이 맑은
만큼 속초에 집중할 수 있었다. 오롯이 속초만을 생각
할 수 있었다. 간만에 날씨가 따뜻하다. 집 근처 시장
으로 나선다. 생선 파는 아줌마들이 초록색 방수 앞치
마를 입고 섰다. 그 아래로 검정색 장화를 신었고 손
에는 빨간색 고무장갑을 끼었다. 머리위로는 분홍색
털모자를 썼다. 공동구매라도 한 듯 모두 같은 패션이
다. 등 뒤로 숫자만 붙이면 영락없는 유니폼이다. 어
물전에는 양미리와 도루묵 일색이다. 이때쯤 많이 잡
힌다는 기름가자미가 끈적한 점액을 분비하며 옆으로
누웠다. 러시아에서 공수된 대게와 킹크랩이 수족관
안에서 지나는 행인들을 바라본다. 고향이 그리운 듯
연신 집게발로 수족관 유리벽을 긁어 댄다. 고향은 이
곳이지만 홍게 또한 바다가 그립긴 마찬가진가 보다.
평일인데도 시장은 관광객들로 붐빈다. 닭강정 종이박
스와 막걸리빵 비닐봉투를 하나씩 들었다. 주말이면
더 많은 사람들이 고개 넘어 이 곳으로 몰려들 것이
고 또 그만큼의 사람들이 고개 넘어 서울로 돌아갈

것이다. 나는 이제 고개 넘을 일이 없다. 이곳에서 이대로 속초가 될 것이다. 가끔씩 『Why 속초?』냐는 질문이 나를 괴롭힐 수도 있을 것이다. 하지만 나는 이곳에서 이대로 속초가 될 것이다.

그 남자의 겨울이야기

　　해가 뜨기도 전인데 수군거리는 소리가 들린다. 아
버지와 아버지 친구분이다. 내용은 확실치 않으나 주
어는 분명 박정희 대통령이었다. 입은 말이 급했고 손
은 급한 입을 가리기에 바빴다. 목소리가 잦아들수록
내 귀는 더 쫑긋해진다. 시청에 근무하시는 아버지 친
구분이 대통령의 유고 소식을 알려왔다. 한 사내가 야
수의 심정으로 유신의 심장에 총을 쏜 것이다. 1979
년 10월 26일이었다. 정확하게 70년전 안중근은 이
토히로부미(伊藤博文)의 가슴에 민족의 총탄을 박아

넣었다. 안중근은 메이지 유신의 심장에 총을 겨누었고 사내는 10월 유신의 심장에 총을 겨누었다. 모두 10월 26일의 사건이다. 척결해야 할 대상 또한 둘 다 유신(維新)이었다. 우연일까? 선택일까? 그 사내에게 물어봐야 할 일이다. 하지만 사내는 그 날 이후 자기 입으로 자기 생각을 말할 수 없었다. 설사 말할 수 있었더라도 제대로 전해질 수 없었다. 무성한 의문만 남긴 채 이듬해 봄 역사의 뒤안길로 사라졌다. 400여년전 이순신 장군은 울돌목 명량에서 13척의 배로 왜선 133척을 격파했다. 이로써 왜군의 전라도 진출을 막고 백척간두의 조선을 구할 수 있었다. 이 또한 양력 10월 26일, 같은 날이다. 하지만 이는 우연임에 틀림이 없을 것이다. 어찌됐든 유신의 심장은 총을 맞고 쓰러졌고 유신의 심장에 총을 쏜 사내 또한 형장의 이슬로 사라졌다. 공기가 진공상태를 허락하지 않듯 권력 또한 공백상태를 허락하지 않는다. 어떤 경우라도 권력을 갈망하는 어떤 이에 의해 공백은 채워지게 마련이다. 오랜 시간을 필요치도 않는다. 이 이야기는 공백과 채움 그리고 그 결말에 관한 한 남자의 겨울 이야기다.

동장군이 기승을 부리던 1931 년 1 월의 어느 날이
었다. 그날도 황강(黃江)은 합천 벌판을 유유히 흐르
고 있었다. 읍내를 지나 율곡면 내천마을에 이르자 강
물은 마을을 세차게 휘감아 돌았다. 한겨울이라 수세
(水勢)는 약했지만 물굽이를 돌 때마다 여울목을 만난
강물은 속도를 높였다. 하회마을, 회룡포 마냥 강물은
S 자를 그리며 빠른 속도로 마을을 돌아나갔다. 그 날
그 곳에서 문제의 한 사내아이가 태어났다. 가난한 농
부인 부친과 그 만큼이나 내세울 것 없는 모친 사이
에 일곱 번째 자식이 태어난 것이다. 위로 형 셋과 누
나 셋이 있었으니 옛날 사람들 산법(算法)으로는 넷째
아들이 태어난 셈이다. 부친은 비록 농부였으나 한문
지식이 뛰어나 마을 구장을 지낼 정도였고 모친은 이
날 태어난 넷째 아들에 대한 기대가 유난했다. 지나가
던 승려가 모친의 튀어나온 앞니가 아들의 앞길을 가
로막고 있다 하자 당장 생니 3개를 뽑을 정도였다 한
다. 문제의 넷째 아들이 권력을 잡은 후에나 나온 이
야기니 진실 여부에 의심이 없는 바는 아니나 뭔가
특별한 모습을 보았기에 기대 또한 특별했을 것이다.

겨울로 막 들어서던 1979 년 12 월이었다. 세월이
많이 흘러 어느새 사내도 초로(初老)의 중년이 되었다.

두 달 전부터 대통령시해사건 합동수사본부장을 맡아오고 있다. 돌이켜보면 서거한 대통령과 적지 않은 인연이 있었다. 1961년 군사정변 당시 대위에 불과했던 사내는 육군사관학교 생도들을 반강제적으로 대동하고 시가행진을 주도했다. 군사정변의 정당성을 국민들에게 선전하기에 이것보다 좋은 것은 없었다. 내막을 모르는 시민들은 사관생도들의 각 잡힌 행진을 보고 박수치며 환호했고 이를 본 미국정보기관도 군사정변에 대해 국민들의 반응이 우호적이라고 본국에 보고했다. 1등 공신인 셈이다. 자연 최고권력자의 눈에 들었고 총애를 받기 시작했다. 이후 국회의원 출마를 종용 받았으나 군에도 충성스러운 사람이 있어야 하지 않겠냐며 군에 남기를 고집했다. 그 말의 숨은 의미를 간파한 대통령은 군내 사조직인 하나회 결성을 허락하고 그 사내를 회장으로 삼았다. 군사정변으로 정권을 잡은 대통령이기에 군에 대한 염려는 그림자처럼 따라다녔다. 군내 동향파악과 유사시 믿고 의지할 군내 사조직이 필요했다. 하나회는 보이지 않는 장용영(壯勇營)인 셈이었고 수장으로 사내가 선택된 것이다. 사내의 언변 또한 최고권력자와 가까워지는데 일조했다. 축구나 권투 등 중요한 경기가 있을 때마다 대통

령은 사내를 불렀고 사내는 재미와 재롱으로 최고권
력자의 즐거움을 책임졌다. 공적으로나 사적으로 총애
를 받기에 충분했고 항간에 떠도는 말처럼 양아들의
반열에 오를 수 있었다. 사람들은 독재자라 싫다 하지
만 사내는 그 독재의 그늘아래서 호의호식했고 승승
장구했다. 미워할 이유가 없었다. 살뜰하진 않았지만
누구보다 많은 사랑을 준 대통령이었다.

그런 대통령이 시해됐고 사내는 수사책임자가 되었
다. 수사책임자에게는 생각보다 많은 권한이 주어졌다.
좀 더 정확하게는 주어진 게 아니라 무단으로 행사할
수 있었다. 어떤 의미에선 시해사건 수사가 그 당시
국시(國是)나 다름없었다. 누구도 시비를 가리려 하지
않았다. 시비를 가릴 용기가 없었다. 조금의 연관성으
로도 누구든 연행할 수 있었다. 원하는 자백을 받아내
는 것은 손바닥 뒤집기보다 쉬웠다. 체포영장 따윈 사
라진 지 오래고 변호사 또한 본연의 기능을 상실한지
오래였다. 정해진 각본이 있으면 각본대로 할 수 있었
고 없으면 마음 내키는 대로 할 수 있었다. 조선 선조
때 정여립이 동인(東人)을 중심으로 난을 일으켰다.
선조는 진압된 반란세력 수사를 서인(西人)인 정철에
게 맡겼다. 글 잘 짓는 송강(松江) 정철이 맞다. 국문

(鞫問)은 3 년 이상 계속됐고 동인(東人) 천 여명이 희생되었다. 정철은 동인백정(東人白丁)으로 불렸다. 수사를 지시한 선조마저 심하다 여길 정도였다. 정여립이 실제로 모반을 도모했다는 물증 따윈 중요하지 않았다. 그저 정권을 잡고자 했던 서인의 권력욕이 있었을 뿐이다. 정철의 국문(鞫問)과 사내의 수사는 크게 다르지 않았다.

수사가 진행될수록 뭔지 모를 쾌감이 밀려온다. 따로 지시 내리는 사람이 없다. 보고해야 할 대상도 딱히 없다. 하고자 하면 뭐든 할 수 있고 알고자 하면 뭐든 알 수 있었다. 내외신을 막론하고 모든 언론은 사내의 입에 주목했다. 새로 선출된 대통령의 입이나 계엄사령관의 말보다 사내의 입과 말이 더 영향력이 있어 보였다. 대한민국의 모든 정보가 사내의 책상위로 모였다. 책상 위가 아니라 책상 위로만 모였다. 모든 정보는 독점이었다. 중앙정보부는 이미 피의자 집단으로 낙인 찍힌 지 오래다. 수사대상이 된 이상 어떤 정보도 중앙정보부로 가지 않았다. 설사 정보가 새더라도 이미 사내의 심복들이 중앙정보부 곳곳에 진을 치고 있었다. 깔때기를 꽂은 듯 모든 권력과 정보가 사내로 수렴했다. 권력의 주요 특성 중 하나가 자가증식이다. 권력자의 권력욕 또한 마찬가지다. 한번 싹을 틔운 권력은 그 위세를 순식간에 불린다. 권력의 달콤함을 맛본 자의 권력욕 또한 무한대로 증식된다. 사내도 예외가 아니었다. 점점 권력이 좋아졌다. 사람들이 그의 말에 더 주목할수록 사람들이 머리를 더 조아릴수록 권력이 더 좋아졌다. 하지만 이제 곧 수사본부도 해체될 것이다. 어쩌면 더 이상 권력을 누릴 수 없을 것이다. 차라리 맛이나 보지 않았다면 모르지만 사내는 이미 그 달콤함을 알아버렸다. 아쉬운 마음이 무한정이었다.

사내를 외곽경비부대로 전출한다는 소문이 항간에 떠돈다. 깊은 생각에 잠겼다. 외곽경비부대? 그럼 다음은? 우물쭈물하다가는 목숨부지도 어려울 것 같았다. 본인의 안녕은 둘째 치고라도 어떻게든 권력을 놓고 싶지 않았다. 하나씩 곰곰이 따져봐야 할 순간이다. 우선 사내는 모든 정보를 가지고 있다. 자신이 리더로 있는 하나회 멤버들이 수도권 주요 부대장으로 포진하고 있다. 유사시 수도 서울로 가장 먼저 출동할 수 있는 부대들이다. 모두 충성을 맹세한 이들이다. 생각만으로도 든든하다. 반면 현직 대통령은 군에 대한 영향력이 거의 없다. 명목상 군 최고통수권자지만 실질

적 영향력을 따지자면 사내에게 당할 바가 아니었다. 그렇다면 걸림돌은 딱 하나! 계엄사령관이다. 계엄사령관은 시해사건 당시 사건현장 근처에 있었다. 이유가 가해자와 미리 정한 약속 때문이었다. 사건에 연루됐을 개연성은 충분했다. 의심하자면 못할 것도 없었다. 좋은 빌미다. 그를 체포하면 된다. 그 다음은 식은 죽 먹기일 것이다. 승산 있는 게임이다. 사내의 예상은 적중했다. 충성을 맹세한 부대장들도 사내를 따랐다. 고비가 없진 않았지만 무능한 진압군 덕분에 큰 문제가 되지 않았다. 계엄사령관 강제 연행에 성공했다. 옥에 티라면 대통령 재가 후 체포가 이뤄져야 했으나 체포 후 재가를 받았다는 것이다. 선후관계가 바뀐 것이다. 하지만 그쯤이야! 쿠데타에 성공한 신(新)군부는 샴페인을 터트렸고 기념사진을 찍었다. 12월 13일 아침이었다. 사진의 중심에 사내가 있었다.

겨울이 마지막 심술을 부리던 1981년 2월이었다. 5천명 넘는 사람들이 장충체육관에 모였다. 대통령 선거일이었다. 마침내 사내의 권력욕이 최종적으로 실현되는 날이다. 1979년 12월의 쿠데타는 절반의 성공에 불과했다. 완전한 권력을 위해서는 나머지 절반이 필요했다. 사내는 그 나머지 절반을 위해 물불을 가리지 않았다. 먼저 광주시민을 무참하게 학살했다. 민주주의를 염원하며 시위에 나선 시민들이었다. 하지만 사내에겐 선량한 시민이 아니었다. 북한 특수부대원이기 때문에 사살이 불가피하다 했다. 뿐만 아니었다. 삼청교육대를 만들고 비인간적인 행위를 자행했다. 표면적으로는 사회악 일소와 사회 정화였으나 이면에는 정치보복과 공포분위기 조성이라는 부수효과가 숨어 있었다. 대외적으로는 미국의 환심을 사기 위해 핵무기개발을 포기했다. 이런 과정을 거치며 사내의 권력은 점점 굳건해졌다. 결국 사내는 현직대통령을 하야시키고 직접 대통령 자리까지 올랐다. 하지만 여전히 박정희의 유신 체제를 벗어나진 못했다. 사내는 박정희의 그늘에서 벗어나고 싶었다. 유신체제가 싫은 건 아니지만 뭔가 새로운 모습을 보여야 될 것 같았다. 새 헌법에 따라 대통령이 되고 싶었다. 그럴 수 있을 정도로 여유도 생겼다. 유신헌법 중 국회의원 1/3 추천권이나 판사임면권은 포기할 수 있었다. 하지만 대통령 선출방법은 포기할 수 없었다. 간접선거 소위 체육관선거를 고수하는 것이 향후 후계자를 지명하고 권력을 이양하는데 지속적으로 영향력을 행사할 수 있을 거라 사내는 생각했다. 마지막 남은 건 대통령의 임기와 연임 제한이다. 유신헌법은 6 년 임기로 대통령의 연임제한이 없었다. 사실상 영구집권이 가능한 체제였다. 정통성 약한 사내로서는 사회적 반발을 의식할 수밖에 없었다. 4 년 연임제와 7 년 단임제를 두고 고민했다. 임기는 1 년 차이지만 단임제 조항을 강조함으로써 국민적 저항을 줄일 수 있을 거라 생각했다. 또한 4 년후에 무슨 일이 일어날진 아무도 모르는 일이었다. 우선 임기 7 년을 보장받고 다음 일은 7 년후에 고민하면 되는 것이었다. 헌법개정안은 국민투표를 통과했고 새로운 헌법에 의해 사내는 대통령으로 선출되었다. 제 5 공화국의 시작이었다.

추위가 극에 달한 1987 년 1 월이었다. 서울대生 박종철군이 남영동 치안본부 대공분실에서 사망했다. 탁하고 치니 억하고 죽었단다. 손바닥으로 하늘을 가릴 수는 없었다. 고문치사 사실이 알려졌고 국민들은 분개했다. 사내는 별로 개의치 않았다. 이전에도 국민 공분을 사는 일은 비일비재했기 때문이다. 이때까지 사내는 이 사건이 가져올 파장을 알지 못했다.

겨울로 접어드는 1988 년 11 월 말이었다. 사내는 백담사로 향했다. 1987년 6월항쟁으로 대통령 간선제를 포기할 수 밖에 없었다. 직선제라면 사내 측 후보가 당선된다는 보장이 없다. 그간의 행적을 볼 때 선거에서 승리한다는 것이 오히려 이상할 정도였다. 선거패배는 사형선고나 다름없었다. 그렇다고 수용하지 않을 수도 없다. 당장 목숨이 달아날 판이었다. 걱정이 태산이고 후회가 막급이다. 하지만 하늘이 도왔을까? 그 해 12월 직선제로 치러진 선거에서 야권 후보의 분열로 사내의 친구이자 후계자가 대통령으로 당선되었다. 가슴을 쓸어 내렸다. 돌이켜 보면 꿈만 같았던 한 해였다. 살얼음판의 연속이었다. 박종철군 고문치사 사건, 4.13 호헌발표, 이한열군 사망사건, 6.10 항쟁, 6.29 선언, 대통령 직선제개헌. 우여곡절이 있었지만 최종 승자는 사내였다. 후계자에게 청와대는 물려줘도 권력을 물려줄 생각은 추호도 없었다. 세종 때 태종처럼 고종 때 대원군처럼 상왕 노릇을 할 생각이었다. 꿈이 아닌 현실이 될 수 있었다. 사내의 앞이마가 더욱 빛났다. 하지만 꿈도 잠시. 다음해 치러진 총선에서 여당이 참패했다. 총 299석 중 125석만이 여당 몫이었다. 역사상 최초로 여소야대 정국이 탄생하였다. 야당 의원들 주도로 청문회특별법이 제정되었고 당연히 광주민주화운동과 제5공화국 비리가 청문회의 안건이었다. 시청률 80%를 넘길 만큼 국민 관심도 컸다. 여론은 연일 사내의 사법처리를 요구했다. 믿었던 후계자도 서서히 손절 모드로 돌아섰다. 내 칼도 남의 부엌에 있으면 맘대로 가져오기 힘든데 하물며 정권이야 달리 말해 뭐하겠는가. 은연중에 칩거를 종용하는 메시지가 청와대로부터 전해진다. 사내는 끓어오르는 분노를 삼킬 수 밖에 없었다. 이미 이빨 빠진 호랑이요 발톱 빠진 사자였다. 대국민사과와 함께 백담사로 향할 수 밖에 다른 방도가 없었다. 1990 년 12 월 30 일 유배 떠난 지 769 일만에 연희동으로 돌아올 수 있었다. 겨울에 떠나 겨울에 돌아왔다. 하지만 이는 수난의 끝이 아니라 시작이었다.

1989 년의 마지막 날이었다. 겨울도 절정을 향해 달리고 있었다. 백담사 유배 생활도 벌써 1 년을 넘겼다. 『잠시만』이라던 후계자의 약속은 유야무야 된지 오래다. 여론도 좀처럼 잦아들 지 않았다. 좌불안석이다. 슬픈 예감은 틀린 적이 없다. 마침내 국회 광주특위 5 공비리특위 청문회 출석요구가 왔다. 마지막 청문회고 다신 거론하지 않겠다는 조건이 붙었다. 조건이 없다 해서 거부할 수 있는 건 아니지만 마지막이라니 믿어볼 수 밖에 없었다. 청문회에서 사내는 변명

으로 일관했다. 소장파 의원들이 분노를 조절치 못했다. 명패를 던진 초선의원도 있었다. 그는 청문회 스타가 되었고 훗날 16대 대통령이 되었다. 사내의 일관된 변명으로 회의장은 아수라장이 되었다. 사내는 혼란을 틈타 유유히 청문회장을 떠날 수 있었다. 그의 퇴장과 함께 광주와 5공비리 문제는 그렇게 종결되는 듯 보였다.

1995년 12월이었다. 추운 겨울날이었다. 사내가 구속되었다. 1989년 청문회 출석으로 모든 게 끝난 줄 알았다. 하지만 후계자의 후임 대통령이 『역사 바로 세우기』를 국정기조로 들고 나왔다. 새 대통령은 사내가 재임 중 가택 연금으로 탄압했던 인물이다. 결을 달리하는 인물이지만 대통령 당선에 사내 세력의 도움이 없었던 것은 아니었다. 하지만 이는 허황된 기대였다. 새 대통령은 12.12 쿠데타부터 광주학살 그리고 부정축재까지 모두를 까발릴 공산이었다. 물론 타깃은 사내였다. 검찰 소환에 불응한 사내는 8분여의 골목성명을 발표하고 고향인 합천으로 향했다. 반항은 오래가지 못했다. 다음날 새벽 영장을 든 집행관이 사내의 생가를 찾았고 사내는 호송차에 태워졌다. 호송차는 『따뜻이 보호하고 올바르게 선도한다』는 간판이 걸린 안양교도소로 향했다. 사내는 구속되었다. 그날도 황강(黃江)은 유유히 흐르고 있었다.

1997년 12월. 물론 추운 날이었다. 사내가 석방되었다. 구속 후 사내는 반란 및 내란 수괴혐의 등으로 기소되었다. 항소심에서 무기징역을 선고 받았다. 1심 사형에서 감형된 것이다. 그나마 사내의 캐치프레이즈였던 정의사회 구현이 진짜로 이뤄지는 듯했다. 김대중 대통령이 당선인 시절 국민 대통합이라는 미명아래 특별사면과 특별복권을 요청함으로써 사내는 석방되었다. 2년여의 수감 생활이 전부였다. 일사부재리의 원칙에 의하면 다시는 같은 죄목으로 법적 책임을 추궁 당하지 않을 것이다. 진정한 끝이었다. 하지만 일사부재리는 법적 책임에 국한된 이야기였다. 국민과 역사는 그를 영원토록 사면하지 않았다.

2021년 11월말. 사내가 죽었다. 어떤 사과도 없었다. 미납된 추징금도 그대로였다. 겨울에 태어나 겨울에 실권을 잡았다. 겨울에 대통령이 되고 겨울에 유배를 떠났다. 겨울에 구속되고 겨울에 사면되었다. 결국 겨울을 앞두고 죽었다.

2023 년 겨울 파주시민이 발끈했다. 유족들은 아직 사내 유골을 안치할 곳을 찾지 못했다. 2 년이 지나도록 연희동 자택에 임시 안치 중이다. 자기가 죽으면 북녘 땅이 바라다보이는 전방의 어느 고지에 묻어달라 했다. 시간도 지날 만큼 지났다. 유족은 리조트를 조성하고 그 안에 유해를 안치하려고 했다. 하지만 이 사실을 뒤늦게 알게 된 땅 주인이 매각의사를 철회했다. 파주시장을 비롯한 지역시민단체가 일어섰다. 파주 땅 어디에도 학살, 독재자가 묻힐 곳은 없다고 그들은 주장했다. 이번에는 사내의 고향 합천에서 연민의 정을 들어 안치를 돕자는 일부 의견이 있었다. 이 또한 천부당만부당하다며 지역 주민의 거센 반발에 부딪혀야 했다. 살아 누린 영광과 죽어 겪는 비참함이다. 아무래도 죽어 묻힐 곳이 대한민국 땅에는 없는가 보다.

2023 년 겨울, 사내 이야기가 영화로 개봉되었다. 1979 년 12 월 사건이 모티브가 된 작품이다. 1,200 만명이 넘는 관객이 관람했다. 물론 나도 보았다. 띄어난 연출이 아니었다. 그렇다고 새로운 사실이 소개된 것도 아니었다. 그런데도 평점이 9.5 이상이었다. 최다 관객을 동원했던 영화 『명량』의 평점도 8.8 수준

이었다. 평범한 현상은 아니었다. 평점 9.5 는 작품성에 대한 평점이 아니었다. 9.5 는 분노의 수치였다. 젊은 세대는 몰랐던 역사를 알게 되면서 분노했고 기성 세대는 기억을 다시 되새기면서 분노했다. 다시는 반복되지 않아야 한다는 다짐과 함께였다. 성공하면 혁명 실패하면 반역이 아니라 성공하든 실패하든 모두가 반역이라는 사실을 관객들은 똑똑히 알고 있었다.

그 남자의 겨울이야기는 죽어서도 끝나지 않았다.

태백산 납치 사건

　

후배 전화다. 집 앞에 와있으니 빨리 내려오란다.
다 늦은 저녁에 무슨 일이냐는 물음에 대답이 없다.
그냥 편한 복장으로 나오면 된단다. 마음이 바빠졌다.
추위걱정에 완전무장을 하고 나갔다. 다짜고짜 차에
타란다. 왜 그러는지 어딜 가는지 아무 말이 없다. 서
울을 벗어나서야 후배는 입을 열었다. 산행을 간단다.
해는 이미 김포 쪽으로 기울고 있었다. 엄동설한에 웬
등산이란 말인가. 더군다나 아무런 준비도 안된 상태
다. 걱정하지 말라며 후배는 안심시킨다. 모든 걸 준

비했으니 믿고 가잖다. 우선은 태백으로 가서 연탄불에 갈비살을 구워먹고 태백산 아래 민박집에서 숙박을 하잖다. 새벽 4 시경 일어나 등산을 하고 일출을 본 후 하산하는 것이 대충의 일정이란다. 아닌 밤중에 홍두깨다. 사전에 얘기 했으면 안 갈 것 같아 그랬단다. 근래 무기력한 내 모습을 보고 기획한 이벤트란다. 황당하지만 고마운 후배다. 하지만 이건 명백한 납치다.

인질 태운 자동차는 뒤돌아 볼 것 없이 줄행랑을 친다. 서울을 벗어나고 이내 호법인터체인지다. 동쪽으로 방향을 잡는다. 경찰에 쫓기기라도 하는 양 자동차는 연신 벅찬 숨을 토해낸다. 한참을 달려 만종인터체인지에 이르자 다시 남쪽으로 방향을 잡는다. 멀리 왼편으로 치악산이 버티고 섰다. 어두워 분간은 어렵지만 산은 분명 하얀색이었다. 산머리만 하얀 것이 아니라 산 자락자락 모두가 하얀색 눈을 뒤집어썼다. 눈은 고속도로 갓길까지 이어져 있었다. 산이 눈을 뒤집어썼듯 가로수도 눈을 이고 섰다. 출소하는 큰형님 마중이나 나온 듯 모두가 하얀색 정장 차림으로 고개 숙인 채 도열하고 섰다. 지나온 길에 보았던 이천, 여주는 큰 산이 없고 평지라 서울과 그다지 다르지 않았다. 중간중간에 큰 마을이 있어 불빛의 따스함을 어렴풋이나마 느낄 수 있었다. 하지만 지금부터는 아니다. 걱정이 현실로 다가오는 순간이었다. 이런 저런 걱정을 납치범은 전혀 모르는 눈치다. 아니면 애써 외면하는 것일 줄도 모른다. 납치범의 의도대로 차는 치악휴게소 고개를 넘어 제천으로 향한다. 제천에서 목적지 태백까지 4차선 국도다. 소백산맥을 오른쪽에 두고 태백산맥 중심으로 들어가는 길이다. 산맥과 나란히 산맥 중심으로 들어가는 것이다. 차창에는 벌써부터 성에가 극성이다. 연신 히터로 말려보지만 역부족이다. 드문드문 보이던 불빛도 이젠 없다. 신호등 불빛만 도로를 희미하게 비출 뿐이다. 길가의 가로수도 아까보다 머리를 더 숙였다. 걱정이 태산이고 나는 지금 태백산으로 간다. 평균 고도가 천 미터를 훌쩍 넘어 우리나라에서 유일하게 열대야가 없다는 태백이다. 에어컨 팔기가 시베리아에서 얼음 팔기보다 어렵다는 태백이다. 여름이 이럴진대 하물며 겨울에야. 좀처럼 가늠이 되지 않는다. 연탄불에 구워먹는 갈비살도 그다지 고소하지 않다. 소주를 마셔도 『캬~~』 소린 나오지 않았다. 잠들기 전 인터넷 검색이 바쁘다. 태백산에 대한 정보가 급했다. 전형적인 육산(肉山)이라 오르기 까다롭지 않단다. 해발고도는 1,566미터로 우리나라에서 여섯 번째로 높지만 들머리 고도가 이미 900미터에 가까워 초보자도 3시간 정도면 충분이 오를 수 있단다. 전혀 와 닿지 않는다. 위로가 되지 않는다. 오히려 값싼 동정처럼 느껴졌다.

새벽 4시. 드디어 올 것이 왔다. 후배의 완전무장 쇼가 시작됐다. 내의부터 외투까지 한 세트가 주어졌다. 다행인지 불행인지 모든 것이 내 몸에 딱 맞아 떨어진다. 마지막 남은 핑계마저 사라졌다. 다음으로 장갑과 스틱 그리고 방한모가 주어졌다. 낯설지 않았다. 다리에 스패치를 부착하고 신발에 아이젠을 착용한다. 낯선 장비들이었다. 마지막으로 이마에 조그마한 랜턴이 달렸다. 막장 들어가는 광부를 닮았다. 왠지 태백과 어울린다는 생각이다. 이로써 히말라야 오르는 알피니스트 마냥 무장이 완성되었다. 하지만 숙소를 나서는 순간 이 모든 게 무용지물이었다. 태백산 찬바람을 막아내기엔 역부족이었다.

태백산을 오르는 코스 중 당골 코스와 반대편에서 오르는 유일사 코스가 대표적이라 한다. 숙소가 당골에 위치한 관계로 우리는 당골 코스로 오른다 했다.

넓은 광장을 돌아서니 이내 들머리다. 동전만한 랜턴에서 뿜어내는 달걀 프라이만한 불빛이 길을 안내한다. 키 큰 낙엽송 또한 2 열 횡대로 늘어서 가야 할 길을 안내하고 있다. 눈 속에 숨은 산죽이 보초라도 서는 듯 고개를 내밀고 우리를 경계한다. 발 밑은 이미 눈 반 얼음 반. 걸음을 내디딜 때마다 뽀드득뽀드득 경쾌한 박자를 맞춘다. 살을 엘 듯 춥지만 그래도 아직은 여유다. 일반적으로 우리나라 산은 정상에 오르는데 세가지 단계가 있다. 먼저는 들머리에서 계곡 길을 따라 걷는 구간이고 다음은 산비탈을 따라 능선까지 고도를 급격히 올리는 구간이며 마지막은 능선을 따라 정상에 이르는 구간이다. 정상 부근엔 마지막 피치를 올려야 하는 구간이 있지만 대개는 마지막 능선 구간에 포함시킨다. 지금 우리는 그 첫 번째 구간을 평화롭게 통과 중이다.

태백산은 태백산맥의 종주(宗主)이자 모산(母山)이다. 백두산부터 남쪽으로 뻗어 내려온 백두대간은 태백산에서 서쪽으로 방향을 튼다. 백두대간 본줄기는 소백산, 속리산, 덕유산을 거쳐 지리산에서 그 행진을 멈추고 그 곁줄기는 낙동정맥을 따라 남하하여 부산 다대포 몰운대까지 이어진다. 이런 이유로 태백에는 두 개의 큰 강 발원지가 있다. 검룡소에서 발원한 남한강은 충청과 경기 지방을 적시고 서해로 잦아들고 황지연못에서 발원한 낙동강은 경상도 들녘을 두루 아우르고 남해로 잦아든다. 분수령(分水嶺)인 셈이다. 이 정도가 내가 알고 있는 태백산에 대한 정보의 모두다. 하지만 나는 지금 실전에 투입돼 있다. 앞으로의 험로가 어떨지 걱정이 아닐 수 없다.

  얼마쯤 갔을까, 눈 앞에 높은 벽이 막고 섰다. 아무래도 계곡구간이 끝나가는가 보다. 이제부터는 급한 오르막이다. 눈물고개나 깔딱고개 정도는 아니지만 등산이라고는 고향 뒷산이 전부인 나에겐 에베레스트이자 안나푸르나였고 K2였다. 한참 뒤에야 알게 된 사실이지만 숨이 빨리 트여야 산행이 쉬운 법인데 아마도 그날은 숨이 트이지 않았던 듯하다. 정상 가는 내내 가쁜 숨을 몰아 쉰다. 심장 뛰는 소리가 쿵쿵쾅쾅이고 내뱉는 숨소리가 헉헉헉헉이다. 축축한 콧물과 걸쭉한 침, 이런 저런 분비물이 얼굴에서 나와 얼굴에 달라 붙었다. 분명 엄동설한인데 복날 땡칠이 신세를 면치 못하고 있다. 미끄러지는 게 일이었다. 발은 눈 속에 묻히기 일쑤였다. 다행스럽게도 스패치와 아이젠이 제 역할을 톡톡히 한다. 그나마 등산로가 푹신

해 다행이다. 카펫을 깔아 놓은 듯하다. 눈 때문에 고생이고 눈 때문에 편안하다. 육산(肉山)이라 돌부리 하나 없는 길 위에 눈까지 깔렸으니 비단에 수를 놓은 격이다. 하지만 그 비단은 미끄럽고도 깊었다. 미끄러지고 자빠지고 넘어지고 쓰러지고. 몸 개그가 따로 없고 코미디도 이런 슬랩스틱이 없다. 때론 두 발로 때론 네 발로 어렵사리 비탈길을 올랐다. 하늘이 보이기 시작하더니 갑자기 시야가 트인다. 아마도 능선에 올라탄 모양이다. 6시 5분을 가리키는 모자와 5시 55분을 가리키는 바지춤이 그간의 사연을 말해주는 듯하다. 콧물은 말랐고 침은 굳었다. 각개전투 마친 훈련병 모습이 이러했으리라. 그래도 육산(肉山)이라 이 정도면 양반이라고 후배는 노고를 치하한다. 그랬다. 태백산은 분명 육산(肉山)이다. 바위 하나 큰 돌 하나 없이 순살 만을 오롯이 밟고 올라왔다. 하지만 산길은 산길인지라 절대 유순할 순 없다. 상대적으론 유순할지 모르지만 절대적으론 절대 유순할 수 없다.

이제부터는 능선이다. 정상까지 완만한 경사길이다. 비로소 주위 경치에 눈길 줄 여유가 생긴다. 고산(高山)이 줄지어 섰고 준령(峻嶺)은 그 사이사이를 잇고 있다. 태백산맥은 남쪽으로 소백산맥은 서쪽으로 각자의 갈길 대로 달음박질 치고 있다. 비교적(?) 유순한 육산(肉山)의 눈길을 따라 정상으로 향한다. 등산로 주변으로 주목과 고사목이 눈에 띈다. 주목(朱木)은 나름의 군락을 이뤘고 고사목(枯死木)은 그 사이사이로 듬성듬성 들어섰다. 지나온 비탈길에도 분명 있었을 테지만 나 살기가 우선이었다. 살아서 천 년, 죽어서 천 년, 넘어져서도 천 년을 간다는 주목(朱木)이다. 살아선 주목이고 죽어선 고사목이다. 살았든 죽었든 섰든 누웠든 모두가 자유분방한 모습이다. 어느 것 하나 나무답게 생긴 게 없다. 어떻게 생긴 것이 나무답게 생긴 건지 무어라 단정할 순 없지만 일반적인 모습이 아님에는 틀림이 없다. 비틀어진 놈, 두 팔 벌린 놈, 삐치기라도 한 듯 한 쪽으로 등 돌린 놈. 사람이든 나무든 늙으면 다들 비슷해진다는데 늙은 주목도 죽은 고사목도 어디 하나 닮은 놈이 없다. 행위예술이라도 하는 듯 모두가 제 각각이다. 하지만 이는 척박한 환경에서 살아남기 위한 제 각각의 몸부림 흔적이다. 강인한 생명력과 거친 야생성에 관한 제 각각의 표출이다. 자연이 빚고 생명이 만들어낸 제 각각의 경이로움이다. 제아무리 솜씨 좋은 조경사라도 절대 흉내 낼 수 없는 제 각각의 예술작품이다. 제 각각의 주목들 머리위로 하얀 눈꽃이 피었다. 산 놈만 꽃을 피운 것은 아니다. 죽은 놈 고사목도 마른 가지 위로 눈꽃을 피웠다. 눈꽃만 핀 게 아니다. 얼음 꽃도 피고 상고대라 불리는 서리꽃도 피었다. 봄 꽃 잔치마냥 겨울 꽃 잔치가 벌어졌다. 봄 꽃은 울긋불긋하지만 겨울 꽃은 단지 하얄 뿐이다. 꽃 잔치는 능선을 따라 정상까지 이어졌다. 폭신폭신한 눈길이 발 밑에서 기분 좋은 쿠션 역할을 한다. 하지만 모든 게 좋은 건만은 아니다. 걸음이 편해지니 바람이 문제다. 능선에 올라서는 순간부터 칼바람이 극성이다. 어디서 불어와 어디로 가는지 방향조차 가늠할 수 없다. 귓불은 이미 내 귓불이 아니요 뺨따귀 또한 내 것이 아니긴 마찬가지다. 몸조차 가눌 수 없다. 옆 사람과의 대화 또한 일체 불가다. 그저 몸을 웅크린 채 얼굴을 파묻고 한발한발 내디딜 뿐이다. 단테의 신곡에 의하면 연옥(煉獄)에서는 사람들이 이렇게 걷는다는데 아마도 지금 내가 연옥(煉獄)을 걷고 있는 듯하다. 세찬 바람은 등산객만 괴롭히는 게 아니다. 나뭇가지들도 한시를 가만두지 않는다. 바람 방향대로 길가의 풍선인형처럼 기괴한 몸짓으로 춤을 춘다. 어째 일말의 저항심도 없어보인다. 빨리 잦아들기만을 기다리는 자포자기한 모습이다. 춤을 출 때 마다 가지들은 눈꽃을 털어낸다. 북풍(北風)에 한설(寒雪)이다. 가지에서 떨어진 눈꽃은 연옥(煉獄)길 걷는 등산객의 어깨위로 떨어진다. 바람에도 강약이 있는지라 바람이 세찰 때면 눈 또한 세차다. 때론 등산객의 얼굴을 사정없이 때린다. 큰 바람 한번에 눈 싸대기 한번이다.

눈 싸대기와 함께 정상에 다다랐다. 비탈 지옥을 지나고 능선 연옥을 지나 정상 천국에 비로소 도착한 것이다. 정상 오르는 길에 망경사라는 절집과 단종비각이 있지만 급한 마음에 얼른 정상으로 향한다. 정상에는 하늘에 제사를 지내기 위해 쌓았다는 천제단(天祭壇)이 있고 이곳이 태백산 정상임을 알리는 정상석이 늠름히 섰다. 아직 여명이라 주위를 온전히 분간할 순 없지만 남향(南向)하는 태백산맥과 서향(西向)하는 소백산맥의 달음박질은 확실히 구분할 수 있었다. 함백산이 손에 잡힐 듯 가까이에 이웃하고 섰다. 후배는 손짓과 함께 큰소리로 뭔가 열심히 설명 중이다. 아마도 저쪽이 웅봉산이고 또 저쪽이 두타산이고 하는 여느 등산객들끼리 나누는 정확하지 않은 정보일 것이다. 하지만 들리지 않았다. 바람소리가 후배의 친절한 설명을 허락하지 않는다. 설사 허락했더라도 귓등으로도 들을 생각은 없었다. 우선은 몸을 가눌 수가 없었다. 열대 수증기 머금고 온 초가을 태풍처럼 정상의 바람은 무지막지하다. 눈을 뜰 수가 없었다. 바람과 맞닥뜨릴 때면 호흡 조차 곤란한 지경이었다. 정상 일출이 장관이라는데 아직 반시간은 더 기다려야 한다. 인증사진 몇 장을 위안으로 삼고 아쉬움을 뒤로한 채 하산 길을 재촉한다. 후배도 말리지 않았다.

정상에서 잠깐 내려왔을 뿐인데 바람이 많이도 부드러워졌다. 호흡도 편해지고 후배 목소리도 또렷해졌다. 물론 눈도 똑바로 뜰 수 있었다. 아까 무슨 설명을 그렇게 열심히 했냐고 묻지 않았다. 지금의 이 평온함을 방해 받고 싶지 않았다. 단종비각 앞 성의 없게 세워진 해설 간판을 건성건성 읽는다. 좀더 아래 망경사에서 한숨을 돌리는데 사람들이 한둘씩 줄을 서기 시작한다. 뭔가 하고 보니 경내에 매점이 있단다. 개점시간에 맞춰 사람들이 줄을 서는 것이다. 매점에서는 컵라면을 파는데 꼭 먹어야 한단다. 『꼭?』 분명 이것은 필요 없는 말이다. 사족(蛇足)이다. 『꼭』도 필요 없고 『반드시』도 필요 없다. 『꼭 먹어야 한다』도 아니고 『반드시 먹어야 한다』도 아니다. 그냥 『먹어야만 한다』가 적절한 표현이다. 이는 선택이 아니라 필수다. 새벽 4시부터 몸은 얼대로 얼어 있었다. 어제 저녁부터 지금까지 나를 짓누르던 중압감은 굳이 말해 무엇하겠는가. 급한 마음에 얼른 줄을 선다. 후배는 어딜 갔는지 보이질 않는다. 컵라면 두 개에 따뜻한 물을 정성껏 담아 자리로 왔다. 라면 익기를 기다린다. 일각이 여삼추(如三秋)다. 아니 컵라면 익는 3분이 여삼추(如三秋)다. 얼른 국물부터 들이켜 몸을 녹인다. 라면 한 젓가락으로 모든 번뇌가 눈 녹듯 사라진다. 후배가 나타났다. 손에는 검은 봉지가 들려있었다. 무슨 봉지냐 하니 그냥 열어보란다. 김치다. 공양간 보살님께 사정해 조금 얻었단다. 젓갈 안든 절집 김치지만 남도김치마냥 감칠맛이 차고 넘친다. 라면과 김치, 그것도 엄동설한에 1,600미터 고도에서. 그 맛을 제대로 표현하지 못하는 내 재주가 안타까울 뿐이다. 행복은 한꺼번에 찾아오는 것인가. 해가 산등성이로부터 떠오르고 있다. 설산과 눈꽃은 일제히 빛을 반사하기 시작하고 저 멀리 고산준령이 제 모습을 뚜렷이 드러낸다. 무심코 올려다 본 하늘은 또 얼마나 파란지. 눈(雪)이 있어 시리고 파란하늘이 있어 시렸다. 시리도록 파란 하늘과 시리도록 하얀 설산. 산토리니와 포카리스웨트.

다시 하산이다. 미끄러지듯 산을 내려온다. 하산 길 중간중간에 비료 부대가 널렸다. 이곳에서도 농사를 짓나? 좀 더 내려와서야 용도를 알 수 있었다. 『썰매 타지 맙시다』 경고문이다. 비료 부대는 다름아닌 산악 스키였다. 비료 부대 썰매를 타면 눈이 얼음으로 변해 다음 하산자가 위험에 처할 수 있기 때문에 붙인 경고문일 것이다. 갈등이다. 용도를 알고 나니 그 쓰임새가 안성맞춤이다. 나를 유혹한다. 결국 탔다. ♬흰 눈 사이로 썰매를 타고♬ 하지만 길지는 않았다. 눈길은 주차장까지 이어졌다. 『내려올 때 보았네 올라갈 때 못 본 그 꽃』 하지만 이번 산행은 『내려올 때도 보았네 올라갈 때 본 그 눈』이었다. 돌아오는 길에 어제 그 고깃집에 다시 들렀다. 갈비살은 고소했고 들이킨 소주와 함께 『캬~~』하는 소리가 절로 나왔다. 여느 때와 다르지 않았다.

인간사에도 우연한 인연이 있듯 취미 또한 우연한 인연이 있다. 절대 인연이 없을 거라 했지만 운명의 장난을 막을 수는 없었다. 팔자에도 없는 산행과 인연을 맺기 시작한 것이다. 중년을 넘긴 남자들 취미는 세월 따라 변해간다고들 한다. 세월 따라 무력해지는 남자의 단면을 보여주는 농담 아닌 농담이다. 우선은 골프를 시작으로 등산으로 옮겨가고 그 다음은 테니스라 한다. 테니스 다음은 게이트볼이라 하는데 거기까지 가면 거의 끝물이라며 우스갯소리를 한다. 등산은 여러모로 좋은 점이 많다. 골프와 비교하면 더더욱 그렇다. 우선은 비용이 싸다. 왕복 교통비에 막걸리값만 있으면 충분하다. 다음은 인원수를 맞출 필요가 없다. 혼자 가도 좋고 여럿 가도 좋다. 네 명을 맞춰야 할 필요도 없다. 인원수 구애를 받지 않는다. 마지막으로 시간제한이 없다. 원하는 시간에 원하는 곳으로 갈 수 있다. 등산은 100% 자기 통제하에서 즐길 수 있다. 이 모두가 태백산 납치 사건 이후에 알게 된 사실들이다. 등산! 저렇게 힘든 일은 아랫것들이나 시키고 상전(上殿)은 술이나 마셔야지 하고 생각했었다. 테니스가 처음 소개된 것이 거문도에 주둔한 영국인들에 의해서라는데 테니스 치는 모습을 처음 본 당시 양반들도 똑같은 말을 했다 한다. 하지만 반강제적인 태백산 산행을 시작으로 100 대 명산 등반을 결심하게 되었다. 이후 절반 넘게 등반했다. 하지만 그도 시절인연이라 4 년째 그 숫자에 멈춰있다.

친구가 신년맞이 회사 단합대회를 간단다. 어디가 좋겠냐고 물어온다. 내 대답은 태백산이었다. 일정 그

대로를 설명했다. 산이 정답일 순 없다. 설사 정답이
라 하더라도 소백산이니 덕유산이니 이름난 겨울 산
이 한 둘이 아니다. 태백산을 택했더라도 그 때 내 느
낌과 그들의 느낌이 같을 수는 없다. 하지만 내 대답
은 태백산이었다. 처음은 항상 설렌다. 첫 키스, 첫
데이트, 첫 눈, 첫 만남. 첫 산행 또한 크게 다르지
않았다. 어딜 가면 좋겠냐 묻고 그 계절이 겨울이라면
내 대답은 언제나 태백산이다.

동지(冬至)ㅅ달 기나긴 밤을

동지(冬至)ㅅ달 기나긴 밤을 한 허리를 버혀 내어

춘풍(春風) 니불 아래 서리서리 너헛다가

어론 님 오신 날 밤이여던 구뷔구뷔 펴리라

황진이의 시조다. 조선시대 여류시인 작품 중 백미로 꼽힌다. 아니 조선시대 시조 모두를 통틀어도 손색이 없다. 동짓달과 춘풍의 대비, 버혀 내어와 너헛다가의 대구(對句), 서리서리와 구뷔구뷔의 운율, 『어론』으로 표현된 고급진 에로티시즘. 무슨 말이 더 필요하

단 말인가. 애틋하고 그리운 사랑을 3 줄 짧은 글로
이렇게 표현할 수 있다니 경의를 표할 뿐이다.

황진이는 조선 종종 때의 기생이다. 서경덕, 박연
폭포와 함께 송도삼절로 꼽힌다. 판서(判書) 소세양,
세종대왕 증손자이자 희대의 풍운아 벽계수, 도학자
의 표상 서경덕, 30 년 토굴 참선 지족선사, 조선 제
일의 명창 이사종 등 황진이의 남자들은 계층도 다양
하고 직업도 다양했다. 하지만 황진이 앞에서는 계층
도 직업도 모두 무용(無用)이었다. 굳은 맹세 또한 마
찬가지였다. 소세양은 황진이와 한 달을 지낸다 해도
마음이 움직이지 않을 자신이 있고 하루라도 더 묵는
다면 사람이 아니라고 장담했지만 결국 사람임을 포
기하고 다짐을 깼다. 벽계수는 『청산리 벽계수야로』
시작하는 황진이의 유혹 시를 듣고 나귀에서 떨어지
는 봉변을 당했고 생불(生佛)로 통하던 지족선사 역시
황진이의 유혹에 못 이겨 색계(色界)를 범하고 말았다.
오직 서경덕 만이 유혹을 이겨내고 사제(師弟)의 연을
맺었다 한다. 소개된 시조는 이사종을 그리워하며 쓴
작품이다. 이사종은 황진이의 계약결혼 상대자였다.
계약결혼이라니. 아마도 우리 역사상 최초가 아닐까
한다. 우연히 이사종의 노래를 들은 황진이가 먼저 청

혼했고 계약결혼 6 년이 지나자 먼저 작별을 고했다 한다. 파격적이고 쿨하다. 사랑과 이별에 주저함이 없다. 주도적이고도 주체적이다. 조선후기보다는 그나마 여성 인권이 좋았던 조선전기라지만 여전히 봉건적 가치관이 지배하던 시기였다. 여성의 몸으로 그것도 기생 신분으로. 어떤 의미로는 페미니즘의 표상이 아닐까 한다. 페미니즘을 규정하는 기준은 여러 가지가 있을 수 있지만 당시의 시대상황을 고려한다면 과한 억지는 아닌 듯싶다. 현재 오만원권의 주인공은 신사임당이다. 선택된 이유를 알 수는 없다. 만약 페미니스트들의 입김이 작용한 거라면 아이러니도 이런 아이러니가 없다. 페미니즘과 전혀 상관없는, 어찌 보면 반(反)페미니즘의 표상인 인물이다. 오히려 제도와 관습에 얽매이지 않고 뜨겁고도 열정적인 사랑을 마다하지 않았던 황진이가 진정한 페미니스트이다. 『멋지다 연진아!』가 아니라 『멋지다 황진이!』다.

동짓달은 음력 11 월이다. 12 월은 섣달이고 1 월은 정월이라 한다. 나머지는 모두 2월, 3월, 4월 이런 식이다. 겨울 석 달만 각각의 이름이 있다. 동짓달은 동지가 들어 이름 지워졌고 섣달은 설이 드는 달이라 섣달이라 한다. 음력 12 월에 설이라니. 지금과 달리

음력 12 월 1 일을 설로 쇤 적이 있었다 한다. 이처럼 동지와 설날은 겨울을 대표하는 날이며 자기 이름을 달의 이름으로 쓰는 영광을 누렸다. 동지는 1 년중 밤이 가장 긴 날이다. 황진이도 그냥 긴 밤이 아니라 기나긴 밤이라 했다. 동지 녘이면 해는 누울 대로 누워 더 이상 누울 수가 없다. 해가 눕는 만큼 그림자도 길어진다. 여름날 베란다도 넘지 못하던 햇살이 이젠 부엌까지 넘나든다. 밤이 가장 길다면 낮은 가장 짧을 터. 좌향좌 우향우 방향에서 뜨고 지던 해도 반(半)좌향좌 반(半)우향우 방향에서 뜨고 진다. 하지 날 5 시면 뜨던 해도 동짓날은 7 시반을 훌쩍 넘어서야 뜬다. 해 지는 시간까지 감안하면 동지는 하지보다 5시간이나 낮이 짧다. 지구에 닿는 빛의 양도 하지의 절반, 정확하게는 49%라고 한다. 이처럼 해의 여정이 짧아 어지간한 남향이면 한자리에서 일출과 일몰을 볼 수 있다. 같은 이치로 동짓날 해 뜨는 방향으로 집을 지으면 일년 내내 아침 햇볕을 볼 수 있는 것이다. 동짓날 아침 햇볕을 받는다면 다른 날은 걱정할 필요가 없기 때문이다. 백제의 미소라 불리는 서산 마애삼존불이나 경주의 석굴암 본전불도 모두 동짓날 해 뜨는 방향으로 자리하고 있다. 서산 마애 삼존불은 별도의 보호각이 없다. 대신 1 년 내내 햇빛을 받게 함으로써 결로로 인한 훼손을 막을 수 있었다. 천 년이 지난 지금도 윤곽을 잃지 않고 여전히 은은한 미소를 우리에게 보일 수 있는 이유도 여기에 있다. 석굴암 본전불은 대왕암이라고 불리는 문무대왕릉을 바라보고 있는데 그 방향이 동짓날 해 뜨는 방향과 일치한다. 보호각이 있음에도 이렇게 자리한 것은 하루도 빠짐없이 햇살 같은 자비를 중생에게 베풀겠다는 고도의 계산이 깔려 있는 것이다. 다시 한번 조상들의 지혜에 감탄을 금할 수 없다.

동지! 날이 날이니만큼 속설도 많고 풍속도 많다. 그냥 지나칠 수 없었던 것이다. 속설과 풍속은 수없이 많아도 이를 관통하는 단어는 하나다. 바로 『새로운 시작』이다. 흔히 동지를 다른 이름으로 아세(亞歲)라 부른다. 작은 설이라는 뜻이다. 실제로 고려 말 원나라의 관섭을 받기 전까지는 동지를 설날로 삼았다 한다. 역경(易經)에도 동짓달을 자월(子月)로 삼아 일년의 시작으로 여겼고 동지와 부활을 같은 의미로 해석했다 한다. 밤 11 시가 지나면 제사를 지내도 된다 하는데 이도 밤 11 시부터 자시(子時)라 해서 하루의 시작으로 보기 때문이다. 답답해서 찾아간 점쟁이들도 동지를 기점으로 한 해의 운이 바뀔 것이라 한다. 동지부터 조심하라 혹은 동지가 지나면 모든 일이 잘 풀릴 것이라는 식이다. 또한 동지에는 가까운 사람끼리 달력을 주고 받았다. 보통은 단옷날 부채를 선물하는 풍습과 아울러 하선동력(夏扇冬曆)이라 하는데 이 또한 동지를 한 해의 시작으로 여긴 것이다. 동짓날부터 섣달 그믐날까지는 서로간에 모든 빚을 갚고 새 기분으로 설날을 맞았으며 가족이나 이웃간에 불화가 있었으면 이날 서로 마음을 열어 풀었다 한다. 묵은 사연을 모두 털고 새로운 시작을 맞이하자는 의미일 것이다. 궁중에서도 동지를 원단(元旦)으로 여겨 군신과 세자가 참석하는 회례연(會禮宴)을 동지마다 열었고 매년 중국에 동지사(冬至使)라는 사신을 파견하여 신년하례를 대신하였다 한다.

　음식이라고 예외일 순 없다. 동짓날의 대표음식은 팥죽이다. 설날 떡국이고 정월대보름날 부름이며 추석날 송편이듯 동짓날은 팥죽을 먹는다. 옛날 중국에 공공이라는 사람이 살았는데 아들이 죽어 전염병 귀신이 되었다 한다. 마을에 전염병이 들어 귀신을 쫓고자 했는데 아들이 평소 팥을 매우 싫어해 팥으로 죽을 쑤고 동네와 집안 곳곳에 발랐다 한다. 이것이 팥죽의

유래다. 요즘도 고사를 지낼 때 팥으로 떡을 만드는데 모두 같은 이유에서이다. 구약성서 창세기에도 비슷한 이야기가 나온다. 모세의 명에 따라 유대인들은 어린 양의 피를 문설주에 발라 애굽 땅에 내린 재앙 중 마지막 열 번째 재앙을 피할 수 있었다 한다. 유대교의 최대 축제 유월절은 이를 기념하는 명절이라 한다. 팥죽에는 새알심이 필수다. 새알심은 팥죽에 들어가는 찹쌀로 만든 단자를 말하는데 크기가 새알만 하다 하여 그렇게 부른다 한다. 새알심은 보통 나이 숫자대로 먹는데 지금의 내 나이를 생각하면 식사 한번으로는 도저히 정량을 채울 수 없을 듯하다. 한 두 움큼으로는 내 나이를 따라오지 못한다. 새알심을 먹어야 나이를 한 살 더 먹는다는데 나이도 먹기 싫고 새알심도 먹기 싫다. 진정 먹고 싶지 않은 음식이다. 먹지 않는다고 나이를 안 먹는 건 아니니 열 살을 한 살로 쳐 다섯 알만 먹는다. 반올림하면 여섯 알이 맞지만 다섯 알을 고집한다. 아무래도 어른한테는 어울리지 않는 풍습인 듯하다. 아마도 어린 아이들의 무탈한 성장을 축하하고 기념하기 위해 만든 풍습이 아닐까 한다. 이유야 어찌됐든 악귀도 쫓고 아이들의 무탈함도 축하하는 따뜻한 팥죽 한 그릇이었을 것이다. 팥죽 또한 동짓날을 관통하는 단어 『새로운 시작』이라는 의미를 품고 있다. 우선 팥의 붉은 빛은 태양의 붉은 빛을 의미하고 새알심의 둥근 모양은 태양의 모양을 상징한다고 한다. 그 색깔과 모양으로 태양의 화려한 귀환을 고대하고 축하하고 있다. 동지는 음기가 극에 달한 날이다. 동지를 기점으로 음기를 물리치고 양기가 그 자리를 차지한다. 지구 복사열 때문에 당분간은 더 추워지겠지만 태양은 황경(黃經) 270 도를 마지막으로 남하를 중단하고 서서히 북상할 것이다. 북상하는 태양은 아랫마을부터 순서대로 만물의 잠을 깨울 것이다. 바야흐로 새로운 시작이다. 새로운 시작의 시작일이 동지인 것이다. 음식에서조차 자연의 섭리를 담으려 했던 조상들이 무척이나 존경스럽다.

동지가 지나면 푸성귀도 새 마음을 먹고 동지 지나 열흘이면 해가 노루꼬리만큼씩 길어진다 했다. 동지는 태양신이 기운을 회복하고 다시 살아나는 날이다. 태양신의 부활이다. 옛사람들은 동지를 생명이 다시 살아나는 신성한 날로 여겨 사냥이나 고기잡이처럼 살아있는 생명을 죽이는 일을 하지 않았다. 새로운 시작을 신성하게 맞으려는 의도일 것이다. 왈패 같은 동장군의 행패에 만물이 잦아들었다. 하지만 태양은 이미 방향을 바꿨다. 비록 완연한 모습을 드러내기까진 몇 달의 시간이 더 필요하겠지만 분명 새로운 시작은 이미 시작되었다. 그 시작점이 바로 동지다. 컵라면이 익기를 기다리듯 느긋하게 기다리면 된다. 북상하는 태양을 따라 잦아든 모든 만물이 서서히 기지개를 펼 것이다. 소생과 부활을 위해 보이지 않는 곳에서 게으름 없는 준비가 한창일 것이다. 태양의 부활을 지구가 온전히 받아들일 때 그 준비는 현화(現化)되고 확인될 것이다. 모든 시작은 동지부터다.

동짓날 밤은 길다. 1년 중 가장 긴 날이니 당연 길 것이다. 하지만 개개인의 상황이나 정서에 따라 더 길게 혹은 덜 길게 느껴질 수 있다. 이런 관점이라면 나의 동짓날 밤은 길고도 길다. 길어도 너무 길다. 말 나눌 이 하나 없다. 동짓날 밤이면 호랑이도 장가를 간다는데 저녁 뉴스 앵커가 나의 유일한 파트너다. 말이 항상 정중하다. 말의 내용 또한 항상 공적(公的)이다. 내 말엔 아무런 대답이 없다. 자기 말만 냅다 하고 『시청해 주셔서 감사하다』는 말만 남긴 채 홀연히 사라진다. 어론 님이라도 있으면 한 허리라도 베어 춘풍 이불 밑에 서리서리 넣어 두겠구먼 어론 님이 없어 구비구비 펼 일 또한 없다. 나의 업(業)이 그러니

누굴 원망하겠는가. 밥상 위에 팥죽 한 그릇이 놓였다. 밀키트로 준비했다. 새알심은 다섯 개다. 이제 몇 년이면 에누리 없이 여섯 개다. 밤이 긴 만큼 외로움도 길지만 마냥 우울한 것만은 아니다. 내일 아침부터 해는 1분씩 일찍 떠오를 것이다. 내가 있는 지구의 북반부는 그 1분을 차곡차곡 쟁여 만물을 소생시키는 밑거름으로 쓸 것이다. 극한은 오늘밤 이미 끝났다. 이런 위안으로 동짓달 기나긴 밤을 그나마 견딜 수 있는지 모르겠다.

설국(雪國) 홋카이도

『국경의 긴 터널을 빠져 나오자 눈의 고장이었다. 밤의 밑바닥이 하얘졌다. 신호소에 기차가 멈춰 섰다』

가와바타 야스하리 소설 『설국(雪國)』의 첫 문장이다. 첫 문장이 다했다 해도 과언이 아닐 만큼 유명한 문장이다. 이것 말고도 기억에 남는 첫 문장은 또 있다. 물론 개인적인 기억이지만. 『칼의 노래』 첫 문장 『버려진 섬마다 꽃이 피었다』와 『남한산성』의 첫 문장 『서울을 버려야 서울로 돌아올 수 있다는 말은 그럴듯하게 들렸다』이다. 특히 『칼의 노래』 첫 문장은 유명한 에피소드가 있는데 『꽃은 피었다』와 『꽃이 피었다』를 두고 작가 김훈은 담배 한 갑을 다 필 정도로 고민했다 한다. 아마도 어조사 『은』과 『이』 사이에 엄청난 차이가 있다고 생각한 것 같다. 무던한 나로서는 그저 고개만 갸우뚱거릴 뿐이다. 참고로 이 책 첫 문장은 『갑자기 겨울이다』이고 졸작(拙作) 『봄날은 간다』 첫 문장은 『봄은 더디게 온다』이다. 부끄러울 뿐이다. 어찌됐든 좋은 글귀 한둘씩을 빌려와 쓰니 글 수준이 갑자기 올라간 것 같다. 내 자신도 의아하다.

소설 『설국(雪國)』은 일본 니가타(新潟) 설원을 배경으로 펼쳐진 허무한 사랑에 관한 작품이다. 일본 최초의 노벨 문학상 수상작품이기도 하다. 최초라 했으니 분명 후속 수상작도 있을 터이다. 비슷한 언어체계를 가진 우리로서는 부러운 일이 아닐 수 없다. 일본 정부의 로비에 의한 결과라는 주장도 있지만 노벨상의 권위를 생각한다면 크게 와 닿지 않는다. 나는 번역본에 대한 거부감이 매우 심한 편이다. 특히 장르가 사람 이야기 소설이라면 더더욱 그렇다. 번역이라는 인위적 행위로 작가의 의도와 감성이 왜곡, 반감되는 것 같아 늘 모자람을 느낀다. 의역과 직역 사이에 존재하는 딜레마를 모르는바 아니지만 아쉬운 건 아쉬운 거다. 더불어 조악한 번역 실력도 번역본을 꺼리는 이유 중 하나다. 오죽했으면 출판사에 컴플레인 메일을 보낸 적도 있다. 『예루살렘의 아이히만』란 책이다. 출판사는 불문에 부치겠다. 어느 날 이 책이 유명 방송프로그램에 소개되었다. 이러쿵저러쿵 모두가 한마디씩이다. 내가 읽었던 출판사 책이 맞다. 다들 충분히 이해한 듯하다. 나만 괜스레 화를 낸 건가? 내 문해력(文解力)에 무슨 문제라도 있단 말인가? 생각을 거듭해봐도 수긍하긴 어려웠다. 번역본에 대한 내 이런 반감도 일본작품에 대해선 꽤나 관대해진다. 우리와 어순이 같고 단어 또한 비슷한 게 많다는 점이 작용했을 것이다. 또한 조사(助詞)로 뉘앙스를 달리하는 언어 습관이 우리와 크게 다르지 않아 번역을 거쳐도 어색함이 덜한 것일 수도 있다. 그렇다손 치더라도 정서가 비슷해 더더욱 그렇다라는 말은 하지 않으련다. 이런저런 이유로 세 번 이상 읽었다. 마지막으로는 영화 『헤어질 결심』을 보고 다시 읽었다. 왠지 비슷한 느낌을 받았다고나 할까.

내친김에 니가타(新潟) 문학기행을 계획해 본다. 소설의 공간적 배경으로 직접 들어가는 것이다. 아마도 책으로만 느낀 간접 경험과는 완전 다를 것이다. 『김

약국의 딸들』을 읽고 통영을 다녀왔고 『태백산맥』을 읽고 벌교를 다녀왔다. 소설 『흑산』을 읽고 흑산도를 다녀왔고 『토지』를 읽고 하동 평사리를 다녀왔다. 가만히 책장에 꽂혀 있는 책들이 살아 움직이는 것처럼 보였다. 마찬가지일 것이다. 낡은 소파에 비스듬히 누워 읽었던 감동과는 비교가 불가할 것이다. 그래! 소설의 무대로 직접 들어가 보는 거다. 소설을 오롯이 다시 느껴보는 거다. 이런 생각을 하는 데는 몇 가지 이유가 더 있다. 일단 니가타(新潟)가 소설 설국(雪國)의 배경인만큼 눈은 걱정하지 않아도 될 듯했다. 시베리아로부터 찬바람이 습기를 머금고 동해를 건너고 혼슈 서해안의 산에 부딪혀 눈이 되어 내리는데 니가타(新潟)가 위도상 그 중심에 있다고 한다. 믿음직스런 정보다. 운이 좋다면 소설 속 터널도 지날 수 있을 것이고 밤의 밑바닥이 정말 하얘졌는지 확인도 가능할 것이다. 구미가 당기고 호기심이 발동한다. 니가타(新潟)는 고시히카리 쌀의 원산지이기도 하다. 쌀이 좋다는 것은 술이 좋다는 이야기다. 아니나 다를까 니가타(新潟) 니혼슈(日本酒)는 종류도 다양하고 맛도 좋기로 정평이 나있다 한다. 계절이 겨울이니 더욱 어울릴 듯 하다. 또한 작가가 소설을 집필했던 료칸(旅館)

이 지금도 성업 중이라 한다. 작가의 집필공간을 재현한 곳도 있고 박물관도 조그맣게 준비되어 있다고 하니 문학기행의 숙소로 어느 것 하나 모자람이 없다. 무엇보다 주위로 유명 온천이 많다 하니 눈 덮힌 노천온천을 찾는 일도 어렵지 않을 성싶다. 겨울, 눈, 노천온천, 니혼슈(日本酒) 그리고 소설의 주인공 시마무라(島村)로의 빙의. 결정은 어렵지 않을 듯 보였다.

하지만 갈등이다. 모두 다 좋다. 하지만 이게 모두 다. 투입 대비 산출이 모자란다. 가성비가 문제다. 어차피 마음 낸 여행인데 컨텐츠가 빈약하다. 이런저런 갈등 중에 조카가 결정타를 날린다. 출판사 다니는 조카가 니가타(新潟) 문학기행을 다녀왔다 한다. 좋더냐는 질문에 시무룩하다. 질문이 우문(愚問)이다. 어땠냐고 다시 물었다. 이번에도 별스런 반응은 없다. 성격도 성격이려니와 이 정도 반응이면 추천할 정도는 아니라는 의미일 것이다. 울고 싶은데 뺨 맞은 격이다. 얼른 대안을 찾는다. 어렵지 않았다. 아오모리 북쪽 쓰가루 해협 건너로 큰 섬이 있다. 북해도(北海道)다. 일본명(名) 홋카이도다. 급한 마음에 니가타(新潟)와 하나하나 비교해본다. 홋카이도 눈 또한 니가타(新潟) 못지 않을 것이다. 온천 또한 훌륭하기는 마찬가지일 것이다. 니가타(新潟)에 소설 『설국』이 있다면 홋카이도에는 미우라 아야코의 소설 『빙점(氷點)』의 무대 아사히카와가 있다. 니가타(新潟)에 니혼슈(日本酒)가 있다면 홋카이도에는 삿포로 맥주와 닛카 위스키가 있다. 영화 러브레터, 윤희에게, 퍼스트러브 하츠코이의 무대 오타루가 있고 영화 철도원의 무대 호로마이역이 있으며 영화 해피해피 브레드의 무대 도야 호수가 있다. 또한 드라마 심야식당에서 기타 치던 맘씨 좋은 고로(五郎)아저씨 고향 하코다테가 있다. 먹거리 또한 빼 놓을 수 없는 매력이다. 북태평양과 오호츠크해에서 잡힌 다채롭고도 신선한 해산물이 가득할 것이다. 이국적인 홋카이도 초지에서 생산된 양고기와 유제품도 일품일 것이다. 아무리 비교해도 어느 것 하나 빠지지 않는다. 편리한 항공편은 덤이다. 『좋았어! 진행시켜!! 영차!!!』 낡은 속옷 버리듯 니가타(新潟)는 금새 잊었다. 잊은 거지 버리지는 않았다. 다음을 기약하고 이번에는 홋카이도다. 미안한 마음을 담아 이번 여행은 『설국(雪國) 홋카이도』로 이름했다.

2 시간반 비행이면 삿포로 신치토세 공항에 도착이다. 같은 표준시를 사용하지만 우리보다 훨씬 동쪽이고 우리보다 훨씬 북쪽인지라 4 시를 조금 넘긴 시간

인데도 창 밖은 벌써 어둑어둑하다. 활주로가 얼었다. 바퀴가 닿는 순간 세찬 눈보라가 인다. 첫인상이 인상적이다. 눈이 많을 때는 제설작업을 기다리며 공항 상공을 선회한다고 한다. 운이 좋았다. 입국심사를 마치고 얼른 삿포로행 기차에 오른다. 지상철(地上鐵)이다. 바깥 세상이 희미하게나마 창을 뚫고 들어온다. 열차 안은 여행객들로 들떴지만 창 밖은 그야말로 ♬고요한 밤 거룩한 밤♬이다. 빠르게 지나가는 네온 빛 가로등만이 열차를 따라 달린다. 누가 빠르고 누가 느리다 할 것도 없다. 열차가 달리는 딱 그만큼의 속도로 가로등도 달린다. 삿포로역까지는 40분 남짓. 다시 숙소가 있는 스스키노 역으로 이동이다. 삿포로 최고의 번화가다. 지상으로 발길을 내딛는 순간 횡단보도 신호등 소리가 들린다. 뻐꾹 한번에 뻐뻐꾹 한번이다. 뻐꾹 뻐뻐꾹. 새삼 일본에 왔음을 느낀다. 후각 정보가 기억에 가장 오래 남는다는데 청각도 크게 다르지 않았다. 을씨년스러운 까마귀 울음소리가 없더라도 이곳이 일본임을 알아차리기 어렵지 않았을 것이다. 숙소 근처 사거리 간판에 닛카 아저씨가 한 손에 위스키를 들고 웃고 앉았다. 트럼프 카드의 킹(King) 같기도 하고 잭(Jack) 같기도 하다. 삿포로를 상징하는 간판이다. 오사카 도톤보리 강가에서 지금도 숏팬츠에 러닝셔츠 차림으로 두 팔 벌려 달리고 있을 구리코 아저씨와 함께 일본에서 가장 유명한 광고판이다. 체크인을 서두른다. 길가로는 내 키보다 높은 눈 언덕이 늘어섰다. 내린 눈이 쌓인 건지 치운 눈이 쌓인 건지 구별할 수 없다. 길바닥은 얼대로 얼어 준비해간 미끄럼방지 방한화도 제 구실을 못한다. 겨울이라 잔뜩 배를 불린 캐리어도 바퀴소리에 생기를 잃었다. 걸음 또한 종종종종이다. 목은 겁먹은 거북마냥 쇄골 속으로 한껏 숨어들었다. 안경에 맺힌 성에와 얼대로 얼은 뺨을 쉼 없이 찔러대는 칼바람만이 낯선 여행객을 반겨주고 있었다.

캐리어만 남겨두고 숙소를 나선다. 음식이 급했고 술이 더 급했다. 일본 술집은 대개 이자까야와 로바다야끼로 나뉜다. 이자까야는 일반적인 선술집을 의미하고 로바다야끼는 가운데 『이로리』라는 화로를 두고 생선, 야채 등을 꼬치에 꽂아 안주로 구워내는 술집을 말한다. 가게 중앙에 화로가 있는 관계로 손님들은 화로를 둘러싼 『코노지』라는 디귿자 모양의 카운터에 앉아 술과 안주를 즐긴다. 마스타라 불리는 쉐프와 손님 사이엔 화로가 존재하고 안주는 화로 위를 지나

손님에게 전달될 수 밖에 없다. 보통은 기다란 주걱 위에 올려진 채다. 일반적으로 중국음식은 볶고 일본음식은 굽고 우리음식은 끓인다고 한다. 중국과 우리는 제대로 표현한 듯 하나 일본은 선뜻 동의할 수 없다. 하지만 우리에 비해 굽는 음식이 많은 것은 확실하다. 야끼도리, 야끼니꾸 등등. 도저히 구워먹을 수 없을 것도 굽는다. 로바다야끼의 『야끼』도 야끼도리니 야끼니꾸와 마찬가지로 굽는다는 의미의 『야끼』다. 이자까야는 주방이 메인이지만 로바다야끼는 『이로리』가 메인이다. 상대적으로 간단한 안주를 제공하는 이자까야가 로바다야끼보단 훨씬 캐주얼하고 대중적이다. 그래서인지 주택가 작은 동네에도 이자까야는 꼭 하나씩 있다. 둘도 아니고 하나씩이다. 경쟁에서 이긴 곳만 살아남았을 것이다. 그래서 동네 하나에 이자까야 하나씩이다. 도쿄, 오사카 같은 대도시도 예외는 아니다. 1990년대 일본식 술집이 국내에 처음 소개되었을 땐 모두 로바다야끼로 불렸다. 시간이 지나면서 이자까야가 로바다야끼라는 이름을 대신했고 지금은 이자까야가 일본식 술집을 대표하는 명칭이 되었다. 술집 특징에 따른 구분이 아니라 세월 따라 그 이름이 변한 것이다. 호기롭게 술집에 입성한다. 늦은 시간이라 그런지 한산하다. 『이로리』와 『코노지』가 눈에 들어온다. 로바다야끼다. 물고기가 꼬치를 문 채 화로 가장자리에 거꾸로 섰다. 추운 날씨로 어깨는 움츠려 들었지만 시작은 항상 생맥주(나마비~루)다. 일종의 가글링이다. 지금 이곳은 삿포로 맥주의 본고장이다. 유명 유튜버 마츠다 부장처럼 단숨에 들이킨다. 확인할 순 없지만 표정 또한 그와 크게 다르지 않았을 것이다. 마스타의 추천대로 대충 안주를 주문한다. 어차피 안주는 거들 뿐. 생맥주로 급한 불은 껐다. 다음은 니혼슈(日本酒)다. 쟁반에 술잔이 여러 개 담겨 나온다. 하얀 바닥에 파란 동심원이 그려진 술잔을 집었다. 술과 함께 파란색 동심원이 흐릿해진다. 초점 잃은 내 눈 또한 흐릿해진다. 헤롱헤롱해질 때까지 술자리는 이어졌다.

아침 일찍 오타루로 간다. 기차로 40 분 거리다. 누군가 오른쪽 창가에 앉아라 권한다. 바다 풍경이 그림같이 아름답단다. 중간쯤 갔을까. 오른편으로 바다가 바짝 붙었다. 아름다웠다. 하지만 그림까지는 아니었다. 반은 맞고 반은 틀렸다. 여느 관광객과 마찬가지로 가이드북에 소개된 필수코스를 따른다. 영화 『러브 레터』 촬영지를 찾고 싶었으나 없어진 지 오래란다.

영화 『윤희에게』에서 봤던 풍경은 이곳 저곳에 보인다. 반갑다. 하지만 오타루하면 뭐니뭐니해도 『러브레터』다. 영화 OST 『A Winter Story』로 아쉬움을 달래보지만 만족스럽지 못하다. 첫사랑에게 보내는 마지막 인사 『오겡끼데스까』를 삼켜 외쳐보지만 아쉽기는 마찬가지다. 뭔가 보상을 받아야 한다. 만화 『미스터 초밥왕』의 쇼타가 이곳 오타루 출신이고 실제로 주인공 쇼타가 일하던 초밥집이 있다 한다. 그 곳으로 정했다. 원래 초밥은 고등어 숙회를 밥 위에 올려먹은 것이 최초라 한다. 초밥도 일종의 저장음식인지라 아마도 저장하기 까다로운 고등어가 최초의 초밥재료가 되지 않았을까 한다. 알 필요도 없고 정확하지도 않은 정보에 미련은 사치다. 지금 내 눈 앞에는 눈에도 맛있고 입에도 맛있는 초밥들이 줄지어 트랙을 돌고 있다. 운동선수 뜀걸음 같다. 모두가 선택 받기를 앙망하며 양껏 멋을 부린 모습니다. 내 왼손은 이미 생맥주잔 D 자 손잡이를 야무지게 움켜쥐고 있다. 시작이다. 먼저 고등어 숙회 초밥을 집어 든다. 크기가 보통 초밥보다 큰 편이라 입안에 한가득이다. 비린내 하나 없이 굼굼하다. 오묘한 맛 또한 입안에 한가득이다. 생맥주로 얼른 입을 헹구고 다른 초밥도 집어 본다.

일본인에게 배운 초밥 먹는 법은 대충 이렇다. 먼저 종지에 간장을 따르고 거기에 생강 초절임을 담근다. 초절임에 간장을 묻혀 초밥 위 생선부분에 바르고 그 위에 고추냉이를 취향에 따라 얹어 먹는다고 한다. 손으로 집어 생선 부분만 간장에 찍어 먹는 경우도 있다 한다. 고추냉이를 푼 간장에 찍어 먹는 우리와는 다른 방법이다. 특히 밥 뭉치를 간장에 찍는 것은 일본말로 『다메』란다. 안 된다는 뜻이다. 개인취향이지만 그 충고대로 하니 맛이 조금은 좋아진듯하다. 빈 접시는 하늘 높은 줄 모르고 높아만 가고 빈 맥주잔 또한 땅 넓은 줄 모르고 쌓여만 간다. 초밥보다 맥주 값이 더 나왔다. 주인장이 올려다 본다. 진짜냐는 뜻이다. 어쩔? 마지막으로 오타루 운하다. 해가 질 때까지 기다린다. 일몰과 함께 운하 주위로 조명이 하나 둘 켜진다. 가스등 은은한 불빛이 운하 위로 떨어진다. 낮부터 잔뜩 찌푸린 하늘이 눈을 토해낸다. 그 눈 또한 운하 위로 떨어진다. 그 불빛과 함께 그 눈과 함께 나도 운하로 빠져든다. 운하 옆 눈 언덕에 구멍을 팠다. 구멍 안으로 촛불을 피워 넣었다. 보는 것만으로도 온기가 느껴진다. 낭만적이다. 하지만 촛불의 온기로는 이 추위를 이겨낼 수 없었다. 추웠다. 낮부터 마셔댄 맥주로 한기(寒氣)는 한층 더하다. 삿포로 베이스캠프로 돌아가는 길을 재촉한다.

아침 일찍 아사히카와, 비에이, 후라노로 간다. 당일치기 버스투어다. 내리는 눈이 내 눈을 가리고 내린 눈이 발걸음을 붙잡는다. 느릿느릿 노면전차도 내 눈길을 사로잡지 못한다. 뻐꾹 뻐뻐꾹하며 울어대는 횡단보도 신호음도 내 발걸음을 재촉하지 못한다. ♬눈보라가 휘날리는 바람 찬♬ 곳은 흥남 부두만이 아니었다. 삿포로도 마찬가지였다. 눈과 함께 바람과 함께 3 일차 여행을 시작한다. 길 주위로 집집마다 사람들이 지붕에 올라섰다. 손에는 모두 제설용 삽을 들었다. 홋카이도에서는 지붕을 거의 모두 평평하게 짓는다 한다. 지붕을 경사지게 하면 눈이 갑자기 미끄러져 내려 지나는 행인이 다칠 수 있기 때문이란다. 사고는 예방한다지만 지붕이 평평하니 눈의 무게가 문제다. 그래서 거의 매일 지붕의 눈을 치운다. 현지인들에게 눈은 더 이상 낭만의 대상이 아니었다. 일상의 훼방군일뿐이었다. 쓸데없는 생각과 함께 아사히카와에 도착했다. 아사히카와는 소설 『빙점(氷點)』의 무대다. 『빙점(氷點)』은 미우라 아야코의 작품으로 크리스천이었던 작가가 인간의 원죄에 대한 깊은 성찰을 표현한 거라 한다. 두 번이나 읽었지만 선뜻 이해가 가지 않는다. 평론가들이 그렇다 하니 그런가 보다 한다. 빙점(氷點)! 어는점이란 뜻이다. 물은 0도에서 얼고 0도에서 녹는다. 어는점과 녹는점이 같다. 인간의 마음은 어떤가. 어는점과 녹는점이 다르지나 않을까. 얼 때는 쉽게 얼고 녹을 때는 어렵게 녹는. 적어도 물처럼 같은 온도에서 얼고 같은 온도에서 녹기만 해도 좋을 듯싶은데. 다른 인간 걱정할 필요 없이 우선 내 마음부터가 걱정이다. 되돌아봐야 한다. 평론가들의 평론과는 다르지만 생각거리 하나는 건진 것 같아 나름 대견하다. 비에이와 후라노는 설경이 일품이다. 사방으로 펼쳐진 구릉 위를 하얀 눈이 두껍게 덮였다. 나처럼 무뚝뚝한 이도 마음이 설렌다. 설경과 어우러진 나무들이 근사한 포토 스팟을 제공한다. 대지를 덮은 하얀 눈이 조명판 역할을 해 아무리 똥손이라도 그럴싸한 사진 몇 장은 건질 수 있단다. 크리스마스 나무니 세븐스타 나무니 마일드세븐 언덕이니 버스가 정차하는 곳마다 내려 사진을 찍는다. 평소에는 무척이나 꺼리지만 스스로 모델이 되어 본다. 결국 나는 모델이 되지 못했다. 나무만이 모델이었다. 시로히게 폭포, 청(靑)의 연못, 닝구르 테라스 등 동화 같은 설국 여행을 마치고 삿포로로 돌아왔다. 노래 『눈의 꽃』을 듣고 싶었으나 준비가 되지 않았다. 늦은 밤이었다. 참새가 방앗간 그냥 못 지나치듯 첫날 그 로바다야끼 집을 찾는다. 주인장이 아는 척을 한다. 이번에는 파란색 동심원이 없는 잔을 집었다.

아침 일찍 하코다테로 간다. 렌터카를 빌릴 참이다. 거리가 거리인 만큼 1박 2일 일정이다. 여느 날과 다름없이 아침부터 눈이 극성이다. 택시 기사님께 물었다. 이 날씨에 하코다테까지 갈 수 있냐고. 고개를 갸우뚱거린다. 단정적으로 얘기하지 않는 일본인의 특성을 고려한다면 불가능하다는 이야기일 것이다. 더군다나 고속도로로 가는 것도 아니다. 도야 호수를 거쳐가는 일정이라 국도로 갈 계획이다. 렌터카도 1000cc를 겨우 넘는 경차다. 걱정스러운 마음에 렌터카 직원에게 다시 묻는다. 이번에도 확정적인 대답은 듣지 못했다. 괜스레 바쁜 척을 한다. 그들이 그럴수록 『여기까지 왔는데』, 『또 언제 올거라구』하는 이상한 심리가 발동한다. 강행이다. 하지만 오래지 않아 후회가 물밀 듯 밀려왔다. 시내는 그렇다손 치더라도 국도는 원시 그 자체다. 차는 연신 헛걸음 질을 치고 내리막이라도 만나면 갈 곳을 잃은 채 좌우 슬라이딩을 해

댄다. 브레이크를 잡자니 취객이고 안 잡자니 봅슬레이다. 호랑이 굴에 잡혀가도 정신만 차리면 된다는 말은 그냥 공허한 말일 뿐이다. 손에는 땀이요 다리에는 경련이다. 이런 와중에 길 옆으로 가로등이 보인다. 가로등에 등이 없다. 등 없는 가로등이라. 나중에 안 사실이지만 가로등이 아니란다. 쌓인 눈 때문에 길을 분간할 수 없어 이곳이 길임을 알리는 표식이란다. 사실 그 가로등 아닌 가로등이 없었다면 어디가 길인지 어디가 낭떠러지인지 분간이 어려웠을 것이다. 사람 키 세 길은 되어 보이는 가로등이지만 절반이 눈에 묻혀 있었다. 어렵사리 어렵사리 도야호수에 도착했다. 내릴 수가 없었다. 좀 더 정확하게는 내릴 엄두가 나지 않았다. 호숫가라서 그런지 바람은 화가 날대로 나 있었다. 바람이 강하면 눈보라도 강한 법. 휴게소 간이 화장실만이 국도를 이용한 무모한 도전에 대한 보상이었다. 마침내 최종 목적지 하코다테에 도착했다. 홋카이도 최남단이다. 난류인 쓰시마해류의 영향으로 다른 지역에 비해 눈이 적고 온화하다고 한다. 비교적 적고 비교적 온화하다는 뜻일 것이다. 비교상대가 홋카이도 다른 지역이니 절대적으로 봤을 땐 절대 눈이 적을 수도 온화할 수도 없다. 생각은 틀리지 않았다.

여전히 눈은 내리고 있었고 여전히 추위는 나를 괴롭히고 있었다. 하지만 다른 곳의 눈과 추위와는 달랐다. 비교적 온화하다는 말은 빈말이 아니었다. 비단 물리적 온도만이 그런 것은 아니었다. 뭔가 모를 따뜻함이 느껴진다. 일본최초의 개항지라 그런지 이국적인 건물이 많다. 건물 사이로 트램이 한가로이 다닌다. 세계 3대 야경이라는 하코다테산 정상을 오가는 케이블카가 보인다. 이 정도가 하코다테의 특징이라면 특징이라 할 수 있다. 어느 것 하나 따뜻한 감성을 자아낼 만한 것은 없다. 이상한 일이다. 관광객이 드물긴 한데 이도 따뜻함과는 상관이 없다. 심야식당 고로(五郞) 아저씨의 따뜻한 마음 때문일까. 하지만 이는 명백한 비약이다. 이유를 찾을 순 없지만 분명 뭔가가 있었다. 하코다테 = 따뜻함, 아니 비교적 따뜻. 이 등식이 하코다테에 대한 인상의 전부다. 꼭 가야 할 곳과 꼭 봐야 할 곳을 두루 마치고 항구 뒤편의 골목으로 들어선다. 서울에서는 보기 드문 가스등이 운치를 더한다. 이번에는 이자까야다. 맑은 닭 국물에 소금으로 간을 한 시오(鹽)라면이 유명하다 해서 한 그릇 후다닥 해치운다. 마파람에 게 눈은 이렇게 감추는가 보다. 급한 허기는 면했으니 이제부터 본격적으로 달리는 거다. 설국(雪國)열차처럼 달리는 거다. 칙칙폭폭 칙칙폭폭하며 울어대는 엔진소리와 함께다. 삐~이하는 기적소리도 물론 함께다.

아침 일찍 공항으로 간다. 서울로 돌아가는 길이다. 강남 가는 제비마냥 따뜻한 남쪽으로 발걸음을 재촉한다. 연일 괴롭히던 눈도 잦아들었다. 바람도 얌전하기는 마찬가지다. 이별을 아쉬워하는 듯 날씨가 우호적이다. 눈으로 시작해서 눈으로 끝난 여행이다. 엘사는 없었지만 겨울왕국은 마음껏 누렸다. 니가타(新潟)는 아니었지만 설국 또한 양껏 누렸다. 잊고 살았던 낭만, 로맨틱한 감정도 오랜만에 느낄 수 있었다. 후회 없이 즐기고 후회 없이 떠난다.

여행준비에 1달이 걸렸다. 소설 2권을 읽고 영화 6편을 봤다. 여행 루트를 결정하는데 여러 번의 고침이 있었다. 내 MBTI는 ISTJ다. 준비가 어땠을지는 상상에 맡기겠다. 준비는 배신하지 않았다. 알찬 여행이었다. 눈을 너무 많이 본 탓인지 비행기에서 내려다본 하늘의 구름이 눈처럼 보인다. 착륙을 알리는 기내방송이 흘러 나온다. 『잠시 후 인천국제공항에 도착하겠습니다. 인천국제공항에는 현재 눈이 내리고 있습니다』 겨우 탈출했는데 또 눈이 기다리고 있다. 하지만 서울은 홋카이도 보다 나을 거라 기대해 본다. 창 밖으로 인천대교 교각램프가 자다깨다를 반복한다. 반가운 풍경이다.

12월의 셋째 주 어느 날

조선 19대 왕 숙종은 로맨스로 유명하다. 인현왕후
와 장희빈 사이의 줄타기 애정행각으로 로맨티스트의
아이콘이 되었다. 물론 드라마 『동이』의 주인공이자
영조의 생모 숙빈 최씨도 포함된다. 세 여인 사이의
아슬아슬한 애정행각이 순수한 남녀지정(男女之情)이
아니라 고도의 정치적 계산에 의한 거라면 이야기는
더 재미있어진다. 부왕(父王) 현종의 급서로 숙종이
왕이 되었을 때는 2차 예송논쟁에서 승리한 남인(南
人)이 정국의 주도권을 쥐고 있었다. 허적의 기름천막

사건으로 남인은 몰락하고 숙종은 서인(西人)의 손을 들어 준다. 장희빈에게 콩깍지가 씌웠던 숙종은 장희빈의 소생을 세자로 책봉코자 하는데 서인들이 이를 반대하고 나섰다. 이에 숙종은 서인을 몰아내고 남인의 손을 다시 들어준다. 여기서 끝이 아니다. 장희빈에게 실증을 느낀 숙종은 장희빈에게 사약을 내리고 그를 추종했던 남인세력을 숙청하였다. 다시금 서인의 손을 들어 준 것이다. 정국(政局)은 숙종 마음에 따라 수시로 변했다. 이를 역사적으로는 환국(換局)이라 한다. 첫 번째가 경신환국이고 두 번째가 기사환국이며 마지막이 갑술환국이다. 숙종 재임기간 동안 세 번의 환국이 있었다. 그 때마다 남인에서 서인으로, 서인에서 남인으로, 다시 남인에서 서인으로 정권이 교체되었다. 지금이야 환국(換局) 두 글자로 간단히 표현한다지만 실권(失權)은 엄청난 비극을 야기했다. 수없이 많은 사사(賜死)와 유배가 뒤따랐다. 보복의 수준을 두고 남인은 남인대로 서인은 서인대로 내부 분열이 일어났다. 남인은 강경파 청남(淸南)과 온건파 탁남(濁南)으로, 서인은 강경파 노론(老論)과 온건파 소론(少論)으로 갈라졌다. 정치 지형이 수시로 변하는 상황에서는 강경파가 득세하는 법, 남인을 모두 몰아내자는 서인 강경파 노론이 온건파 소론을 물리치고 정권 실세가 되었다. 이후 200 년간 조선왕조가 망할 때까지 노론의 득세가 계속되었다. 다시 생각건대 숙종은 로맨스의 왕이 될 수 없다. 환국의 원인이 순수한 애정 문제인지 아니면 정치적 목적인지 숙종 자신만이 알 수 있는 일이다. 하지만 앞뒤 사정을 볼 때 정치적 의도가 깔렸을 개연성이 매우 높다. 숙종은 로맨티스트의 아이콘이라기 보다 조선 27 명의 왕 중 가장 두려운 왕이었다. 태종이나 세조는 왕위 찬탈과정에서 과도한 폭력을 행사했지만 재임기간 중에는 그러지 않았다. 연산군은 반정으로 쫓겨났고 광해군은 뭘 그렇게 잘못했는지 모르겠다. 숙종은 왕권 강화라는 정치적 목적을 달성하기 위해 인간의 가장 순수한 감정인 사랑을 이용했다. 영리함을 넘어 교활했다.

300 년이 지난 지금도 환국(換局)은 사라지지 않았다. 1987년 13대 대통령 선거를 시작으로 현재 20대 대통령까지 총 8 번의 대통령 선거가 있었다. 8 번의 선거를 치르는 동안 보수정권에서 진보정권으로 2 번, 다시 진보정권에서 보수정권으로 2 번, 총 4 번의 정권교체가 있었다. 정권이 바뀔 때마다 환국(換局)의 망령은 되살아 났다. 정권을 잡은 집단은 정권을 잃은

집단을 억압했다. 조선시대처럼 사사(賜死)를 행할 순 없지만 유배 같은 탄압은 사라지지 않았다. 범죄사실이 있다면 당연히 명명백백하게 밝히고 상응하는 책임을 물어야 한다. 하지만 똑같은 사건에 대해 어떤 정권은 죄를 묻지 않았고 어떤 정권은 죄를 캐물었다. 사건의 본질은 전혀 바뀌지 않았는데도 말이다. 무슨 조화인지 모르겠다. 뿐만 아니다. 정권이 바뀔 때마다 이전의 모든 정책은 지워지고 부정되었다. 트럼프 미국대통령의 정책 모토 중 『Anything but Obama』가 있다. 오바마 정책만 아니면 뭐든 OK라는 의미다. 우리나라도 다르지 않았다. 새 정권은 구 정권의 정책을 모두 의심하고 들었다. 동시에 청산의 대상으로 치부했다. 실상 별다른 차이가 없어 보이는데 적폐를 청산하겠다고 소리를 높였다. 정권이 바뀌면 하나 같이 똑같은 슬로건을 내걸었다. 모든 정권은 그 만큼씩의 적폐를 만들어내는 운명이라도 타고난 듯 했다. 어제까지는 무죄였던 사건이 하룻밤 지나자 유죄가 되고 어제까지는 국정기조였던 것이 하룻밤 지나자 적폐가되었다. 그렇다고 환국(換局)이 부정적인 측면만 가진 것은 아니었다. 죄가 있음에도 추궁을 피했던 사건이 하룻밤 사이에 정의의 물음을 받게 되고 고고한 정치철학처럼 보이던 것이 하룻밤 사이에 적폐로 밝혀지는 경우도 드물지 않게 있었기 때문이다. 그 하룻밤은 매번 12월 셋째 주 어느 날이었다. 추운 겨울날이었다.

　1987년 12월의 셋째 주 어느 날이었다. 16년만에 대통령 직접선거가 실시되었다. 그 해 여름 시민항쟁으로 대통령 직선제가 수용되었다. 6.10 항쟁에 의한 6.29 선언이었다. 이로써 대통령 선거인단에 의한 간접투표가 아닌 국민 손으로 직접 지도자를 선출할 수 있었다. 그 해 가을 신림동 미림여고 높은 담벼락에 붙은 헌법개정안 공고문이 아직도 기억에 생생하다. 담벼락 높이 붙었던 개정안은 93.1%의 지지율로 국민투표를 통과하였고 현재도 대한민국 헌법으로 그 역할을 수행하고 있다. 개헌지지율이 말해주듯 정권교체는 시간 문제처럼 보였다. 하지만 예상치 못한 일이 일어났다. 3김이 단일화에 실패하고 출마 포기도 하지 않아 선거는 4파전으로 치러졌다. 선거 결과 노태우 후보가 간신히 당선되었다. 보통사람으로 위장한 군인이 정권을 이어가게 된 것이다. 오랜 민주화 투쟁으로 시민들이 지친 이유도 있었지만 승리의 샴페인을 너무 일찍 터트린 것도 하나의 요인이었을 것이다. 죽

써서 개 준 격이고 개밥 주고 개한테 물린 꼴이다. 그렇게 바라던 군정종식은 다음으로 미뤄야 했다. 군정은 끈질기게도 그 수명을 연장했다. 노론이 소론으로 바뀌었을 뿐 초록은 동색이었다. 긍정적이든 부정적이든 대단한 환국은 일어나지 않았다.

1992년 12월의 셋째의 주 어느 날이었다. 14대 대통령 선거일이다. 여당 후보가 좀 어색하다. 30년 넘게 민주화 운동에 투신한 인물이다. 야당 냄새를 물씬 풍기는 인사가 여당 후보로 출마했다. 3당 합당으로 여당의 대통령 후보가 된 김영삼이다. 어제의 동지가 오늘의 적이 되고 어제의 적이 오늘의 동지가 되는 아이러니한 상황이다. 죽을 만큼 대통령이 되고 싶었든 건지 아니면 자신의 정치철학을 관철시키기 위해 명분 없는 선택을 한 건지는 확실하지 않다. 하지만 분명 어색하다. 어색한 건 어색한 것이다. 이번에도 상대는 김대중이었다. 현대그룹 창업주 정주영도 경쟁에 합세했다. 선거승리를 위해 위해 망국의 지름길 지역주의를 들고 나왔다. 갖은 꼼수 끝에 김영삼이 승리했다. 군사정권의 양분을 먹고 문민정부가 탄생했다. 누가 봐도 어색한 정권이었다. 하지만 개혁 강도는 예상보다 거셌다. 하나회 척결, 금융실명제 실시, 역사

바로 세우기 등을 주요 국정과제로 내세웠다. 환국이었다. 하나회를 척결함으로써 군내 사조직을 일소했고 역사 바로 세우기 일환으로 전직 대통령 2 명을 구속했다. 긍정적인 환국이었다. 하지만 의지만큼 능력이 따라주지 못했다. 수신(修身)은 그렇다손 치더라도 제가(齊家) 또한 많이 모자랐다. 이 정도로 끝내려고 그렇게 대통령직에 목숨을 걸었던 걸까? 대통령이 되고자 그가 행한 온갖 술수들이 명분을 잃는 순간이었다. 1/3 의 정권 교체였고 하이브리드 문민정부였던 셈이다

1997 년 12 월의 셋째 주 어느 날이었다. 15 대 대통령 선거일이다. 인동초(忍冬草) 김대중이 당선됐다. 테러, 납치, 가택연금, 사형선고 등 정치인이 겪을 수 있는 모든 고충을 다 겪은 인사다. 취임사 도중 울먹였다. 어쩌면 진정한 의미의 정권교체인 셈이다. 반세기 동안 대한민국을 지배했던 낡고 고루한 가치를 한꺼번에 뒤집을 수 있는 정권이다. 누군가에 정치적 빚을 진 적도 없다. 정통성 부분에서도 가장 선명한 정권이다. 숙종이 세 차례나 환국을 실시할 수 있었던 것은 바로 왕위의 정통성 때문이었다. 현종의 적장자로서 왕위를 계승한 것이다. 방계도 아니고 서자도 아

니었다. 김대중 정부 역시 어디 하나 흠잡을 데 없는 깨끗한 정권이었다. 서인 정권이 몰락하고 남인 정권이 들어선 셈이다. 강경파 청남(淸南)이 될 거라 모두들 예상했다. 엄청난 환국이 예상되었다. 하지만 예상과 달랐다. 환국을 결행하기보다 IMF 경제 위기 해결이 우선이었다. 국민 대통합을 위해 전직 대통령 2명의 사면을 김영삼에게 요청하고 관철시킨다. 청남(淸南)은 커녕 탁남(濁南)도 아니었다. 제대로 된 정권교체가 처음이고 선결해야 될 문제가 많았다. 강력한 개혁 드라이브를 걸었다면 엄청난 사회 혼란을 야기할 수도 있었을 것이다. 이런 의미에서 2/3 수준의 정권교체였다. 부작용 없는 수준에서 산적한 난제를 해결하고 개혁작업도 나름 성공적으로 수행했다. 분명 정책적 환국은 있었다. 국가중심에서 국민중심으로, 대결구도에서 화합구도로의 변화는 충분히 감지할 수 있었다. 그럴만한 의지도 능력도 부족하지 않았다. 방향 또한 올발랐다. 하지만 그도 제가(齊家)에서 문제를 들어냈다.

2002년 12월의 셋째 주 어느 날이었다. 김대중을 끝으로 말도 많고 탈도 많던 3김 정치는 종말을 고했다. 16대 대통령 선거는 3김의 입김 없이 치러지는 최초의 선거였다. 그런데 대결 구도상 게임 자체가 되지 않을 것 같다. 흡사 다윗과 골리앗의 싸움이다. 정치적 자산이 거의 없고 내세울 경력도 변변치 못한 여당 후보와 화려한 경력과 정치 경험으로 무장한 야당 후보의 대결이었다. 심지어 야당 후보는 이번이 두 번째 도전이었다. 야당 후보의 승리가 당연해 보였다. 하지만 여당 후보의 승리였다. 노무현이었다. 풀뿌리 민심의 승리였다. 다윗의 물매가 골리앗의 이마를 정통으로 맞혔다. 지난 5년간의 진보정권을 그대로 물려받았다. 시급한 IMF 문제도 어느 정도 해결됐고 집권 초년병으로서의 어색함도 많이 사라졌다. 허니문 기간은 끝났다. 본격적인 환국이 일어나도 하나 이상하지 않았다. 예상대로 파격적인 행보를 보였다. 권위 탈피, 거침없는 소통, 민족대화합 등 그간 하고 싶었던 정책들을 거침없이 토해냈다. 그야말로 환국(換局)이었다. 탁남(濁南)에서 청남(淸南)으로. 의지 또한 뚜렷했다. 하지만 그의 배경이 문제였다. 보수 기득권 세력과 언론은 그의 존재를 인정하지 않았다. 서자나 얼자가 왕위에 오른 것처럼 괄시와 냉소로 일관했다. 국민이 부여한 정통성은 중요하지 않았다. 그들이 정한 그들만의 정통성에 부합하지 않다. 결국 탄핵이라는 극단으로 치달았다. 갈등은 확대 재생산되었다. 그의 개혁의지는 반대세력의 비상식적인 멸시로 번번히 좌절되었다. 조선 22 대 왕 정조의 개혁이 노론의 방해로 미완성에 그쳤듯 노무현의 개혁의지도 보수세력의 집요하고 끈질긴 훼방으로 실현되지 못했다. 미완성 수준이 아니었다. 제대로 펼쳐보지도 못한 수준이었다. 의욕이 너무 앞섰다. 그는 정치꾼의 술수를 선택하지 않았다. 하지만 방향만큼은 옳았다. 하고자 하는 열의만큼은 모두가 인정했다. 이유야 어쨌든 이래저래 아쉬운 환국(換局)이었다.

2007년 12월의 셋째 주 어느 날이었다. 정권이 바뀌었다. 10 년간의 진보정권이 끝나고 보수정권이 탄생했다. 이번에도 다윗과 골리앗의 싸움이었다. 다윗의 물매는 더 이상 제 역할을 하지 못했다. 여당 후보 정동영은 야당 후보 이명박에게 비참하게 패배했다. 남인에서 서인으로 환국이 일어난 셈이다. 예상대로 후폭풍은 컸다. 전임대통령을 극단적 선택까지 몰아넣었다. 수사 진행상황을 언론에 유출하는 비겁한 방법으로 피의자 단계인 전직 대통령을 궁지로 몰았다. 검찰 출석을 요구하며 망신주기도 서슴지 않았다. 선명성이 무엇보다 중요했던 전직 대통령은 스스로 생을 마감했다. 원망하지 마라, 모든 게 운명이라는 말을 남긴 채. 더불어 전(前)정부가 추진하던 정책들은 깡그리 폐기되었다. 복지정책보다 시장자율화가 우선이었다. 기울어진 운동장을 손보려 하지 않았다. 부자가 잘살면 서민도 따라 잘살아진다고 했다. 떡이 크면 떨어지는 콩고물도 많다는 논리다. 신(新)자유주의라는 천민자본주의 이데올로기를 강조했다. 박정희의 한국적 민주주의는 그렇게 신봉하면서 한국적 자본주의는 왜 신봉하지 않았던 걸까? 뿐만 아니다. 무슨 이유에서인지 가만히 잘도 흐르는 강줄기에 시비를 걸었다. 강바닥은 파헤쳐졌고 곳곳에 보(洑)가 만들어졌다. 물줄기의 흐름은 자유롭지 못했고 푸른 물은 녹색으로 변해갔다. 남북 화해분위기도 물거품이 되었다. 진보정권의 통일의지는 불법 대북송금 사건으로 얼룩지고 금강산 관광, 이산가족 상봉은 예기치 않은 사건으로 전면 중단되었다. 환국도 이른 환국이 없었다. 서울시를 하나님께 봉헌하지 않은 게 그래도 다행이었다. 바람직하지도 정당하지도 않은 환국이었다.

2012년 12월의 셋째 주 어느 날이었다. 대통령의 딸 박근혜가 대통령으로 당선됐다. 그녀 부모의 비극적인 결말 때문에 국민들은 그녀에게 정치적 부채의식을 가지고 있었다. 물론 모두는 아니지만. 그녀 아버지의 근대화 업적과 그녀 어머니의 선했던 국모(國母) 이미지 또한 부채의식의 갖게 하는데 영향을 미쳤을 것이다. 그런 추억을 간직한 국민들은 그녀를 선거의 여왕으로 만들었고 노회한 보수 인사들은 그녀의 등을 떠밀었다. 국정수행능력이나 정치철학은 중요하지 않았다. 표를 받을 수 있는 사람이 필요했고 정권을 잃지 않는 게 우선이었다. 아무래도 혼자 힘으로는 역부족이었는지 많은 인사들이 조력자를 자처하고 나섰다. 그들은 그녀의 눈과 귀를 가렸고 그녀는 그런 사실을 알아차리지 못했다. 설사 알아차렸더라도 별반 다르지 않았을 것이다. 명성황후가 조선을 망국으로 이끈 데는 진령군(眞靈君)이라는 요녀(妖女)가 있었다. 임오군란 때 명성황후를 도운 무당이다. 진령군은 세자의 병을 낫게 하려면 금강산 1 만 2 천봉마다에 쌀한 섬과 돈 열 냥씩을 바쳐야 한다 했다. 명성황후는 그 말을 그대로 따랐다. 코미디다. 비슷한 코미디가 21 세기 대한민국에서 벌어지고 있었다. 박근혜 옆에는 최순실이 있었다. 중요한 결정마다 그녀의 입김이 작용했다. 대통령은 그녀(박근혜)가 아니라 그녀(최순실)였다. 국민의 분노는 하늘로 치솟았고 광화문은 촛불로 가득 찼다. 우주의 기운 운운하던 그녀는 자신이 대통령이라는 사실에 자괴감을 느꼈다. 결국 탄핵으로 하야(下野)했다. 그나마 다행스럽게도 4년만에 정권은 막을 내렸다. 이렇다 할 환국도 없었다. 아니 환국이 없었음이 오히려 잘 된 일인지 모른다.

12월의 셋째 주 어느 날은 매번 희망으로 들떴다. 5년에 한번씩 새로운 지도자가 탄생한 것이다. 메시아나 미륵불(彌勒佛)이 현현(顯現)한 것 마냥 모두들 꿈에 부풀었다. 시내 모처에서 개표상황을 지켜보던 당선인은 당사를 찾아 관계자들을 격려했다. 당사로 이동하는 당선인을 비상등 켠 취재차량이 줄지어 따랐다. 오토바이까지 동원됐다. 좋은 화면을 위한 취재 경쟁이 치열했다. 곡예 운전도 불사했다. 모든 게 생중계다. 패한 측의 아쉬움은 승리한 측의 환호성에 묻혔다. 이 날 만큼은 모두 새 정부의 건승을 기원했다. 다음날 아침이면 당선인은 국립묘지를 참배하고 지도자로서 새로운 각오를 다졌다. 방명록에 남긴 한 줄 메시지가 그 날의 탑 뉴스가 됐다. 한 줄 짧은 메시지에 온갖 해석과 추측이 난무했다. 의전이나 경호도 국가원수급 예우다. 며칠 뒤 발표되는 신년 메시지도 현직보다 당선인의 것에 더 관심이었다. 지난 30년간

12월의 셋째 주 어느 날의 풍경은 항상 이랬다. 보수든 진보든 당선인의 정치 성향과 관계 없었다. 좋은 정치로 좋은 나라를 만들어 달라는 국민의 바램 또한 30년 동안 한결같았다. 하지만 5년후의 모습은 사뭇 달랐다. 희망은 실망이 되고 믿음은 배신으로 다가왔다. 모두가 그런 건 아니지만 대부분이 그랬다. 같이 소망하고 같이 이뤄내고 싶었으나 그러지 못해 아쉬웠던 적도 있었다. 드물지만 분명 있었다. 어느 쪽이든 만족스럽지 못했다. 욕구불만은 30년이 지난 지금도 그대로다.

박근혜 탄핵으로 12월의 셋째 주 어느 날은 더 이상 역사적 의미를 갖지 못했다. 환국(換局)의 날도 더이상 아니었다. 3월의 둘째 주 어느 날이 그 날을 대신했다. 겨울 환국(換局)이 봄 환국(換局)이 된 셈이다. 이후 두 번의 정권교체가 있었다. 보수에서 진보가 한번이고 다시 진보에서 보수가 한번이다. 첫 번째 진보정권은 국정농단 심판을 염원하는 촛불혁명으로 탄생했다. 적폐청산의 첫 번째 대상은 당연히 박근혜와 그의 간신들이었다. 이명박도 적폐청산의 대상에서 벗어날 수 없었다. 모두 법적 책임을 물어야 했다. 명백한 범죄사실에 대한 사법처리였다. 보복성은 없었다. 교장선생님 같았던 대통령은 그의 임기를 끝으로 정권을 내주었다. 다시 보수정권이 탄생했다. 보수정권의 수장은 정작 본인의 정치성향을 알지 못했다. 자신을 대통령으로 만들어 줄 수 있는 정치세력을 찾았고 마땅한 대안이 없던 보수 세력은 그를 대항마로 선택했다. 서로의 계산이 맞아떨어졌다. 닦고 조이고 기름까지 쳐 그럴싸한 모습으로 국민 앞에 내세웠다. 전(前)정부의 부동산 정책 실패와 경쟁후보의 도덕성 결함 등으로 어렵지만 대항마가 승리했다. 그가 당선된 지 2년이 지났다. 뭘 하는지, 뭘 하고자 하는지 국민들은 알고 싶어한다. 좀처럼 갈피를 잡을 수 없다. 명성황후의 진령군처럼, 박근혜의 최순실처럼 드러나지 않은 제3의 인물이 있지 않나 의심도 해본다. 3년이나 남았는데 무슨 사달이나 나지 않을까 걱정이다.

12월의 겨울 환국(換局)은 그래도 나은 편이었다. 상대후보보다 이것 이것을 더 잘할 수 있다며 표를 호소하였다. 국민들도 누가 더 잘 할 수 있을까를 두고 고민했다. 3월의 봄 환국(換局)은 그렇지가 않았다. 상대방 후보는 이런저런 흠이 있으니 절대 뽑으면 안된다는 주장 일색이다. 그러니 나를 뽑아달라는 주장이다. 상대후보보다 어떤 경쟁력이 더 있는지는 중요하지 않다. 상대후보의 도덕적 결함만을 들춰내기에 혈안이 되어 있다. 선택이 힘들다. 골 넣는 스트라이크가 필요한데 특급 수비수 임을 자처하고 나선다. 진짜 특급 수비수인지 확인할 수 있는 방법도 없다. 덧셈의 정치는 사라지고 뺄셈의 정치가 난무한다. 나부터 투표를 포기했다. 내 기준으로는 모두가 자격미달이었다. 겨 묻은 개가 똥 묻은 개 나무라는 격이다. 내 기준이 너무 까다로운 거 아니냐고? 그렇지 않다. 일반인의 도덕기준으로 볼 때도 미달이다. 더 가관인 것은 나라 걱정은 뒷전이라는 점이다. 당선인이든 당선인 주변인이든 하나 같이 『국민 눈높이에 맞춰 OOO 정권의 성공을 위하여 최선을 다하겠다』고 한다. 12월 환국 때는 없던 말이다. 오만하고 불손하기 짝이 없는 말이다. 자기네들 눈 높이는 고상하고 높은데 미개한 국민들 눈높이로 낮춰 정치를 하겠다는 말인가? 단언컨대 국민 눈높이는 당신네들이 낮춰 맞추는 것이 아니라 높여 맞춰야 한다. 적어도 당신네들보단 훨씬 도덕적이고 훨씬 이성적이기 때문이다. 그리고 OOO정권의 성공이라니. 국민들은 OOO 정권의 성공에 관심이 없다. 대한민국의 성공이 우선되어야 한다. OOO 정권의 성공이 무엇을 의미하는가? 상대 정당

헐뜯고 비난하고 갖은 농간으로 1 표만 더 받으면 된다는 의미인가? 제발 정신 좀 차리기를 바란다. 세상은 모두 발전하는데 왜 정치만 뒷걸음질을 치는지 모르겠다. 이제 남은 3 년, 제발 정권의 성공이 아닌 국민의 성공을 위해 매진해 줄 것을 학수고대해 본다. 눈높이도 국민의 눈높이까지 올라 올 수 있게끔 노력 정진해주길 바래 본다. 다음 선거에는 확신에 찬 표를 던질 수 있게 해주길 간곡히 부탁한다.

겨울 길 선재길

대한(大寒)이 소한(小寒) 집에 놀러 가서 얼어 죽었다는 속담이 있다. 그만큼 소한이 춥다는 뜻이고 대한보다 춥다는 뜻이다. 이름만 두고 봤을 땐 대한이 훨씬 추울 듯 하나 이름은 이름일 뿐인가 보다. 하지만 이도 옛날 이야기다. 소한이고 대한이고 더이상 춥지 않다. 지구 온난화와 엘리뇨니 라니냐니하는 이름도 생소한 기상 이변으로 겨울이 겨울답지 않다. 여름의 유령이 겨울에도 물러나지 않고 지구 북반부를 떠돌고 있다. 올해는 패딩 없이 겨울을

난다. 고개 넘어 영동지방으로 서식지를 옮긴 이유
도 있지만 한반도 전체가 그다지 춥지 않다. 좋은
일인지 그렇지 않은지 판단이 서지 않는다. 일단은
추위를 무지막지하게 타는 나로서는 다행이 아닐
수 없다.

해마다 이 맘 때면 트레킹을 간다. 트레킹이라기
보다는 마음산책이다. 발로 하는 산책이 아니라 마
음으로 하는 산책이라 그렇게 부른다. 산책길은 발
로 걷지만 이런저런 상념은 마음으로 느끼기 때문
이다. 날짜를 정하는 데는 두 가지 조건이 있다.
OR 조건이 아닌 AND 조건이다. 두 조건 모두 충
족되어야 한다. 그렇다고 법률처럼 엄격하게 적용하
는 것은 아니다. 약간의 융통성은 있다. 첫 번째 조
건은 가장 추울 때이다. 아마도 소한 언저리 즉 1
월 첫 주나 둘째 주 정도일 것이다. 얼어 죽어도 아
메리카노 『얼죽아』가 아니라 얼어 죽어도 마음산책
『얼죽마』다. 다음 조건은 눈이 엄청나게 오든지 아
님 엄청나게 온 다음날이다. 첫 번째 조건은 어렵지
않다. 두 번째 조건은 거의 반반이다. 그래서 두 번
째 조건이 우선이다. 둘 중 더 중요한 것은 눈이다.
올해는 그다지 춥지 않다. 벌써 1 월 중순인데 추위

다운 추위가 없다. 자칫하면 기회를 놓칠 것 같다. 조급한 마음에 눈이 펑펑 내린 다음날 무작정 계획 없이 떠난다. 우물쭈물하다가는 공칠 것 같다는 조바심을 떨칠 수 없었다. 추위는 포기하고 눈을 택했다. 날짜를 정하는 건 까다롭지만 장소 선정은 걱정 없다. 항상 갔던 곳이고 항상 좋았던 곳이다. 오대산 월정사에서 상원사까지 이어지는 선재길이다. 올해도 예년과 다름 없을 것이다. 굳이 다른 점을 찾자면 고개를 넘어야 한다는 사실이다. 모든 게 서식지를 속초로 옮긴 이유 때문이다.

진고개를 넘을 생각이다. 동쪽 강릉 주문진에서 서쪽 평창 진부를 잇는 고개다. 오대산 허리 한가운데를 넘어 가는 고개다. 백두대간을 넘는 이름난 고개로는 북쪽부터 진부령, 미시령, 한계령이 있고 그 다음이 진고개다. 아래로는 강릉에서 용평으로 넘어가는 대관령이 있다. 오대산은 육산(肉山)이다. 제대로 된 바위 하나 없고 뾰족한 봉우리 하나 없다. 허물허물 해 보이고 강단없어 보인다. 물에 물 탄 듯 술에 술 탄 듯하다. 옷을 완전히 벗어 젖힌 산은 민망할 정도로 밋밋하다. 뭐하나 내세울 것 없고 눈길 갈만한 곳 또한 없다. 그래도 딴에는 부끄

러운 지 하얀색 눈 속옷을 입었다. 산이 육산(肉山)
인데 고개라고 별 수 있을까. 고개 또한 유순하다.
이런 이유로 바로 북쪽 한계령과 분명한 대조를 이
룬다. 미시령이야 터널이 생겨 울산바위 멋진 모습
을 빗겨 간다지만 한계령은 골산(骨山) 설악산의 기
암괴석을 오롯이 바라보며 넘는 고개다. 구비 한번
돌 때마다 감탄사 한번이다. 눈(雪) 따위는 아랑곳
하지 않는다. 모두가 제가 잘났다는 듯 하늘로 솟았
다. 잘나서 잘났다는데 딱히 나무랄 말이 없다. 이
래도 되나 싶을 정도로 절경이다. 옛날에는 이런 한
계령이 좋았다. 하지만 어느 순간 진고개도 한계령
만큼이나 좋아졌다. 한계령에서는 눈(目)이 즐거웠
고 진고개에서는 마음이 즐거웠다. 산이 유순한 만
큼 마음도 유순해졌다. 한계령에서 바빴던 눈(目)도
진고개에선 바쁘지 않다. 바쁘지 않는 눈(目)에 바
쁘지 않는 마음이다. 포근해서 좋다. 그렇다고 한계
령이 싫어진 것은 아니다. 굳이 말하자면 겨울에는
진고개가 좋고 가을에는 한계령이 좋다. 진고개는
눈(雪) 피할 땅이 없어 겨울이 깊고 한계령은 눈(雪)
쌓일 땅이 없어 겨울이 깊지 못하기 때문이다. 그런
진고개를 올해는 반대편 동쪽에서 넘는다. 정상에

오르니 휴게소다. 해발고도는 이미 천미터를 넘었는데 휴게소너머로 넓은 구릉이 펼쳐졌다. 둥글다. 어디 하나 모난 데가 없다. 선재길로 들어서기 전 이곳이 그곳임을 알리는 전주곡 같다. 서울에서 올 때는 없었던 일이다. 바람잡이 개그맨처럼 관람객의 닫힌 마음을 활짝 열어젖힌다.

무사히 고개를 넘었다. 이사온 지 두 달 만에 처음으로 속초를 벗어났다. 공기가 다르다. 좋고 나쁨이 아니라 춥고 따듯함이다. 확실히 춥다. 눈 앞으로 검문소 같은 간이건물이 보인다. 차단기를 좌우로 나란히 벌리고 섰다. 입장료 받는 곳이다. 매년 겪는 일이니 놀랄 일도 없다. 문화재관람료가 없어졌다 들었는데 잘못 알았던 건가? 요금안내판에 6천원이라 적혀 있다. 그 밑에 그 보다 좀 더 크게 주차료라고 적혀있고 또 그 밑에 좀 더 큰 글씨로 문화재관람료 면제라는 안내가 적혀있다. 글자 크기로만 보면 점증법(漸增法)이다. 『6천원 < 주차료 < 문화재관람료 면제』 순이다. 하지만 하고 싶은 말로 보자면 점강법(漸降法)이다. 『6천원 > 주차료 > 문화재관람료 면제』 순이다. 가장 하고 싶은 말은 6천원인데 글자는 가장 작다. 겸손은 아닌 듯 하다.

이전에는 주차료에 관람료를 더해 받았다. 지금은 주차료만 받는데 정확한 기억은 없지만 예전보다 많이 비싼 듯 하다. 인두세(人頭稅)를 차두세(車頭稅)로 바꾸고 차두세(車頭稅)를 이전보다 많이 인상한 것이다. 조삼모사(朝三暮四)다. 설사 이전 요금과 같더라도 산골 주차장 요금치고 결코 싸진 않다. 더 거슬리는 건 『면제』라는 단어다. 면제라면 이전에는 의무였다는 말인가? 뭔가 큰 은혜를 베풀기라도 하는 냥이다. 별로 은혜롭다는 생각이 들지 않는다. 깊은 생각을 하지 않기로 했다. 길 오른편으로 산골에 어울리지 않는 건물이 3 개나 들어섰다. 그 중 국립조선왕조실록박물관이 눈에 띈다. 조선왕조실록 오대산 사고본을 소장하고 있다 하고 2023 년 가을에 개관했다 한다. 제자리를 찾아온 듯 하다. 잘 한 일이다. 그 옆으로 월정사 성보박물관이 국립박물관보다 결코 작지 않은 크기로 나란히 섰다. 잘 한 일인지 모르겠다. 이 또한 깊은 생각을 하지 않기로 했다.

산책은 월정사 일주문부터 시작이다. 성(聖)과 속(俗)의 경계다. 이 문을 지나면 속(俗)을 떠나 성(聖)으로 들어간다. 문을 세운 뜻 그대로 됐으면 하는 바람이다. 일주문은 성속(聖俗)을 경계하지만 길은 어제 내린 눈으로 경계를 잃었다. 길도 하얗고 산도 하얗다. 길 따라 늘어선 전나무만이 흐릿하게나마 경계를 알려주고 있다. 일주문부터 월정사까지 전나무 숲길이다. 부안 내소사 전나무 숲길, 양주 광릉 수목원 전나무 숲길과 함께 우리나라 3 대 전나무 숲길이라 한다. 전나무는 상록수고 침엽수다. 상록수라고 항상 푸른 것은 아니다. 어제처럼 눈이라도 내리면 상록수는 영락없이 하얗게 변한다. 침엽수라고 항상 머리를 꼿꼿이 하는 것도 아니다. 어제처럼 눈이라도 내리면 침엽수는 시중드는 내시마냥 머리를 조아린다. 오늘이 그 날이라 전나무는 하얀 소복 입은 내시가 된다. 내시의 팔 마냥 가냘픈 가지가 눈의 무게를 이기지 못하고 금방이라도 부러질 것 같다. 부는 바람에 눈은 흩어지고 가지의 수고는 그만큼 덜어진다. 길 주위로는 돌탑들이 얼굴만 내밀고 섰다. 어제 내린 눈이 어깨까지 덮었다. 흔히들 돌탑에 돌을 올리며 소원을 빌면 소원 성취의 효험이 있다 한다. 너도나도 돌을 주워 탑 위에 올려 놓는다. 자연히 길가의 돌은 한곳으로 모이고 길은 지나기 수월해진다. 효험을 믿어 돌탑이 생긴 것인지

길을 편안케 하기 위해 효험 설화가 만들어진 것인
지 선후(先後)관계가 궁금하다. 아마도 후자가 먼저
일 것 같다. 어찌됐든 둘 다 좋은 일이다. 1 석(石)에
2 조(鳥)인 셈이다. 돌탑만 눈에 묻힌 것은 아니다.
안내판도 눈에 묻혔다. 『이 나무는 무슨 나무고 이
숲에는 어떤 동물이 살고 있고』 같은 유용한 정보
를 제공하던 친절한 안내판이다. 읽는 이의 시선에
맞춰 비스듬히 선 안내판이다. 비스듬히 선 탓에 안
내판 설명은 눈에 가리고 말았다. 똑바로 수직으로
섰다면 눈의 훼방을 받지 않았을 것이다. 친절함 때
문에 본연의 임무를 해내지 못하고 있다. 과잉친절
이 빚은 아이러니다. 1 킬로 남짓 길지 않은 산책에
생각이 한 보따리다. 보따리 안에는 『이 길을 같이
걸었던 많은 인연들은 어떻게 살고 있을까?』 같은
시답지 않은 생각도 함께였다. 발은 바쁜데 마음은
그렇지 않기로 한 다짐이 무색해지는 순간이다. 일
주문 지난 지 오래건만 아직 속세를 벗어나지 못했
나 보다.

아치형 금강교를 지나 월정사로 들어선다. 넓은
마당 가운데로 S 자 모양의 오솔길이 났다. 아마도
이른 새벽 스님들이 내린 눈을 치웠을 것이다. 새벽

울력으로 중생들 둔한 걸음에 보시를 한 것이다. 길을 곧게 내지 않고 곡선으로 내서 한층 멋스럽다. 이 모든 것이 우연이 아니라 의도된 연출이었으면 좋겠다. 스님의 센스에 아낌없는 찬사를 보낸다. 오솔길을 따라 좀 더 안으로 들어서니 본전(本殿)인 적광전(寂光殿)이 팔작지붕을 머리에 이고 의젓하게 자리했다. 적광전은 대적광전의 준말일터 그렇다면 비로자나불을 모신 전각일 것이다. 적광전 안에는 49 재를 지내는지 스님의 독송소리가 사뭇 진지하다. 문살 틈을 통해 안을 살핀다. 이게 무슨 일인가. 비로자나불이 아니라 석가모니불이었다. 보통은 수인(手印)으로 구분하는데 비로자나불 수인은 검지를 손바닥으로 감싸는 지권인(智拳印)이다. 지금 주석하신 부처는 항마촉지인(降魔觸地印)을 하고 있다. 항마촉지인은 석가모니불의 수인이다. 사찰에서 실수를 했을 리는 없으니 내 상식이 엉터리인 게 분명했다. 실망 한아름과 함께 마당으로 내려서는데 안내판이 보인다. 다행히 안내판은 수직으로 똑바로 서있어 눈의 훼방을 받지 않았다. 내용인 즉 이런저런 사정으로 석가모니불을 본전불로 모시데 본전 이름은 적광전으로 했다는 것이다. 내 상식이 틀리지 않았다. 가슴을 쓸어 내렸다. 참고로 우리나라 비로자나불 중에 가장 잘생긴 분은 철원 도피안사에 계신 철조비로자나불좌상이다. 한마디로 꽃미남이다. 믿어도 된다. 적광전 앞으로 월정사를 대표하는 팔각 9 층석탑이 보인다. 이 또한 잘생겼다. 우리나라는 석탑이 일본은 목탑이 주를 이룬다. 아무래도 우리나라에 화강암이 많아 탑의 재료로 많이 사용된 듯하다. 돌은 질감이 무겁다. 그래서 석탑을 세울 때는 상승감이 중요하다. 불국사 석가탑을 보면 기단석을 시작으로 3층으로 급하게 올라간 모양이 하늘을 찌를 듯하다. 돌의 무거운 질감을 상승감으로 커버한 것이다. 일본은 반대다. 나무의 질감은 가볍다. 그래서 일본 목탑은 상승감이 없다. 오히려 땅으로 파고 들듯이 내려 앉았다. 둔하게 보인다. 대신 가벼워 보이지 않는다. 굳이 비교하자면 무거우면서도 높이 치닿는 우리 석탑이 몇 갑절은 좋다. 이름으로 탑의 모양새를 알 수 있다. 월정사 팔각 9 층석탑은 월정사에 있는 지붕돌이 8 각이고 층수가 9 층인 탑이라는 뜻이다. 9 층은 단계가 많아 상승감을 주기 어렵다. 해결책으로 기단을 좁게 하고 층고를 높지 않게 설계했다. 이에 덧붙여 비슷한 크기의 지붕돌을 층층이 쌓았다. 의도한 대로 탑은 무거워 보이지 않았다. 석가탑처럼 경쾌한 상승감은 없지만 분명 상승하고 있었다. 무거워 보이지도 않았다. 예술이다. 생김새 때문인지 9 층 지붕돌에만 눈(雪)이 쌓였다. 햇빛이 내려 쌓인 눈이 녹아 떨어진다. 지붕돌 8 각 모서리마다 걸린 풍경(風磬)에서도 눈이 녹아 떨어진다. 모두가 눈물을 흘리고 있었다. 탑 앞으로 월정사 석조보살좌상이 있다. 오른 무릎을 꿇고 왼 다리를 세워 탑을 향해 공양하는 모습이다. 그런데 너무 신품(新品)이다. 신품(新品)이 아니라 가품(假品)이란다. 진품(眞品)은 앞에 얘기했던 성보박물관에 전시 중이라 한다. 보살 어깨에도 눈이 쌓였다. 이 또한 녹아 내려 보살의 등과 배를 적시고 있었다. 눈물이 아니라 땀을 흘리고 있었다. 천 년 이상 부처님 사리 모신 탑을 향해 공양 중이다. 공양이 힘들었는지 연신 땀을 흘리고 있다. 영화 『은행나무 침대』의 황장군 모습이었다.

이제 본격적인 선재길 트레킹에 나선다. 최종 목적지 상원사까지는 20 리길이다. 출발하기 전 아이젠을 착용한다. 며칠 전 아이젠 없이 설악산 비선대를 다녀왔다. 이만저만 고생이 아니었다. 주위 사람들 보기 민망할 정도였다. 오늘은 야무지게 아이젠부터 챙겨 신는다. 선재길의 선재는 깨달음을 향해 나아가는 동자(童子)를 의미한다고 한다. 즉 선재길은 깨달음을 구하는 길이다. 선재길의 끝에는 상원사가 있다. 상원사는 특이하게도 문수보살을 모시고 있다. 문수보살은 지혜의 아이콘이다. 실천의 아이콘 보현보살과 함께 석가모니 부처를 협시한다. 오늘의 마음 트레킹은 깨달음의 길을 걸어 지혜의 정수(精髓)로 들어가는 여정이다. 뜻 그대로 선재길은 월정사와 상원사를 오가는 스님들의 순례길이었다. 제각각 화두 하나씩을 걸망에 넣어 매고 이 길을 오갔을 것이다. 길 이곳 저곳에 못다 푼 화두가 남아 있는 것 같아 괜스레 숙연해 진다. 하지만 나는 지금 구도의 길을 가는 것이 아니다. 의미가 그렇다는 것이지 어떤 필요나 의무도 내겐 없다. 주위로 펼쳐진 설국을 충실히 느끼면 될 일이고 깊은 생각 없이 걸어도 문제될 건 없을 것이다. 가벼운 마음만큼이나 가벼운 걸음으로 산책을 시작한다. 서둔다고 서둘렀지만 나보다 앞서 간 발자국이 여기저기다. 한 방향이 아니다. 위쪽 상원사에서 내려오는 발자국도 여럿이다. 늦지 않은 시간인데도 많은 사람이

다녀갔는가 보다. 하지만 그들이 남긴 건 발자국뿐이다. 재잘거리던 그들 소리는 하늘로 흩어져 더 이상 들리지 않고 요모조모 살피던 그들 눈길 또한 어디에도 흔적을 남기지 않았다. 오롯이 혼자일 수 있었다. 구불구불한 이 길을 혼자서 걷는다. 계곡 건너에는 차가 다닐 수 있는 제법 넓은 길이 있다. 비포장이라 신작로라는 표현이 어울릴 듯하다. 차길에도 눈이 내렸다. 마치 시멘트 포장을 해 놓은 것 같다. 선재길을 걷다 보면 계곡을 여러 번 건넌다. 신작로는 선재길과 항상 계곡을 사이에 두고 반대편을 달린다. 선재길이 계곡을 건너면 신작로 또한 계곡을 건너 선재길 반대편으로 넘어온다. X 자 모양으로 크로스를 한다. 짧은 만남과 긴 이별을 반복한다. 둘은 점으로 만날 뿐 절대 나란히 가지 못한다. 섶다리니 갈골다리니 하는 이름도 예쁜 다리들 밑으로 하얀 계곡이 흐른다. 얼음 얼고 눈에 덮여 볼 수는 없지만 분명 눈 밑으로 얼음 밑으로 원래의 흐름대로 흐르고 있을 것이다. 깨진 얼음 사이로 여름 계곡물 못지 않는 우렁찬 물소리가 들린다. 내 생각이 틀리지 않았음을 증명이라도 하는 듯. 계곡위로는 인간의 발자국이 없다. 인간의 길이 아니라 인간이 지나지 않았다. 산짐승 몇 마리와 산새 무리가 다녀간 듯 길지 않은 발자국만 간간히 보인다. 계곡물에 깎여 둥그스레해진 덩치 큰 바위가 민머리 정수리만 내보이고 있다. 키 큰 돌부리도 뾰족한 머리만 내보인다. 이를 제하면 그냥 모든 게 하얗 뿐이다. 돌배나무니 다릅나무니 하는 이름 모를 길가의 나무들도 하얄 뿐이고 순례자들 쉼터인 벤치도 하얄 뿐이다. 오직 생각 많은 내 마음만 하얗지 않았다. 저 멀리 상원사 쪽에서 스님 한 분이 내려오신다. 스님인지 행자인지 정확하진 않지만 아무래도 높여 부르는 것이 손해 될 건 없을 것이다. 회색 승복으로는 부족했는지 회색 패딩을 입었다. 위 장복을 입은 듯 그 모습 또한 하얗다. 합장으로 작은 예를 표했다. 그리곤 아무 말없이 스쳐 지나갔다. 용무로 본사(本寺) 다녀가는 길인지 아님 포행(布行) 중인지 알 수 없다. 아마도 용무라면 옆 신작로를 이용했을 것이다. 되돌아 본다. 스님 어깨에 화두가 올라탄 듯 보였다. 『아이고 불쌍한 중생아! 뭔 생각이 그렇게 많을꼬?』하고 꾸짖는 것도 같다. 알게 뭐람. 난 그냥 이대로 좋다. 바람 한 조각에 눈 싸라기가 날려 내린다. 햇빛을 받아 반짝거린다. 바람

이 불면 산책은 힘들어지겠지만 바람이 계속 불어
줬으면 좋겠다. 과하지 않게 조금씩 조금씩. 가야
할 길이 얼마 남지 않았다. 걸음을 천천히 한다. 20
리 짧지 않은 길이 모자랐다. 이제까지 걸어온 길과
다를 게 하나 없지만 이 길을 걷는 게 마냥 좋다.
수많은 형용사 중에 좋다라는 말밖에 딱히 떠오르
는 말이 없다. 좋다. 이유 없이 그냥 좋다.

마지막 종착지 상원사 경내로 들어선다. 조선 7
대 왕 세조와의 인연은 익히 알고 있는 사실이고 방
한암 스님 주석하신 청정도량이라는 사실도 모르는
바가 아니다. 상원사는 문수보살을 주불(主佛)로 모
신 곳이다. 부처가 아니니 주불(主佛)이라는 표현이
적절한 지 의문이지만 내 지식의 한계가 거기까지
니 어쩌겠는가. 보살을 주불로 모시는 것은 흔치 않
은 일인데 아마도 세조와의 인연 때문일 것이다. 문
수보살은 주로 어린 동자(童子)의 모습으로 중생 앞
에 나타나는데 그래서인지 문수동자로도 불린다. 상
원사의 본전 문수전(文殊殿)에는 문수동자상과 문수
보살상이 나란히 주석하고 있다. 둘 중 하나가 국보
인데 어렵지 않게 가려낼 수 있다. 문수동자상이다.
귀엽다. 불교가 쇠한 조선시대 불상이지만 예술적

가치는 신라시대, 고려시대 그것에 절대 뒤지지 않는다. 오늘 이 문수보살 앞에서 108배를 할 요량이다. 108배를 해온 지 1년 가까이 됐다. 종교적인 의미보단 아침운동의 의미가 더 하지만 알게 모르게 마음 공부에도 도움이 된 듯하다. 건강에도 좋고 마음에도 좋았다니 다행이 아닐 수 없다. 그런데 유독 오늘 108배가 힘들다. 기에 눌린 탓일까. 절반도 못해 숨이 차고 무릎이 아프다. 어렵게 어렵게 108배를 마쳤다. 아까부터 보살 한 분이 금강경을 독송하고 있다. 급한 숨을 애써 안으로 들여 삼킨다. 내 힘듦을 눈치 채지나 않았는지 걱정스러울 뿐이다. 어느 해 겨울 이곳을 찾았다. 눈이 엄청나게 내리던 날이었다. 그 후론 그런 눈을 만날 수 없었다. 오늘은 눈이 내리지 않지만 그 날의 눈을 대입(代入)시켜 본다. 날씨가 맑으나 흐리나 눈이 오나 눈이 오지 않으나 오대산 상원사의 겨울은 그 날이다. 그 날 같은 눈을 다시 만난다면 무척이나 반가울 것이다. 잊지 않았고 잊지 않을 것이기에 반가울 것이다. 두 번째이기에 더욱 반가울 것이다.

이로써 선재길 트레킹은 끝이다. 넘어온 고개를 다시 넘어간다. 해야 할 일을 모두 마쳤으니 여유다.

주문진부터 속초까지 해안도로로만 탈 생각이다. 죽도 해변과 인구해변에 서핑 즐기는 이들이 여럿이다. 추운 날씨에도 아랑곳하지 않는다. 아마 춥지 않고 파도 좋은 날을 택했을 것이다. AND 조건으로. 그 중 하나를 포기한다면 아마도 추운 날씨일 것이다. 오늘도 바다는 화가 나 있다.

눈 내린 종묘

　서울이라고 겨울이 비켜가는 것은 아니다. 비록 북쪽 깡촌 출신이지만 겨울은 휘황찬란한 서울 모습에 조금도 신기해하지 않는다. 촌놈 특유의 자존심을 한껏 내세운다. 화려한 도시라 해서 봐주는 법이 없다. 어차피 문명은 인간의 몫이고 계절은 자연의 몫이다. 자연의 순리대로 자신의 역할을 성실히 수행할 뿐이다. 마찬가지로 서울의 겨울 또한 여느 곳 겨울과 크게 다를 것이 없었다. 좀 더 정확하게는 크게 다를 것이 없는 거지 다를 것이 전혀 없는 것은 아니다. 자연이 아무리 공평해도 서울의 겨울은 다른 곳 그것과 조금 다르다. 그것도 아주 조금. 높은 빌딩이 토해내는 하얀 수증기와 자동차 연통을 타고 세상으로 새어 나오는 배기가스의 알량한 온기로 서울의 겨울은 여느 곳의 겨울보다 조금 더 따뜻하다. 그것도 아주 조금이다. 하지만 이런 은혜(?)에 따르는 반대 급부도 만만찮다. 서울의 눈은 아름답지 않다. 내릴 때만 아름답다. 땅에 닿는 순간 사람 발자국과 자동차 바퀴가 위를 덮친다. 하얗던 눈은 금새 검은 흙탕물로 변한다. 원래부터 쌓여있던 먼지도 일손을 보탠다. 새하얗던 목련이 땅에 떨어져 검게 변해가듯 하얀 눈도 그렇게 변해간다. 내리는 눈이 아름답듯 쌓인 눈도 아름다워야 하는데 서울의 눈은 그런 호사를 누리지 못한다. 눈 쌓인 예쁜 모습이 보고 싶으면 서울을 벗어나야 한다. 서울의 눈은 내릴 때만 아름답다.

그렇다고 매번 나설 수는 없다. 손 놓고 있을 수도 없다. 없으면 없는 대로 방법을 찾아야 한다. 설마 이 넓은 서울 바닥에 하얗게 눈 쌓인 곳이 한군데도 없을 손 싶더냐. 분명 있을 것이다. 없다면 슬픈 일이 아닐 수 없다. 어쩌면 선자령 눈꽃보다 함백산 눈꽃보다 더 아름다울 수도 있을 것이다. 꼬불쳐놓았던 비밀

병기를 꺼낸다. 바로 종묘(宗廟)다. 그것도 눈 내린 종
묘다. 지하철 한번이면 어렵지 않게 갈 수 있다. 비록
겨울은 아니지만 가을 단풍철에 여러 번 찾은 경험이
있다. 겨울날 눈이 내려 쌓인다면 너무나도 예쁠 것이
라는 생각이 여러 번이었다. 주저 없이 실행키로 했다.
사람이 붐비기 전 이른 아침이 좋을 듯하다. 물론 전
날 밤 눈이 오면 더 좋을 것이다. 정리하면 밤새 눈
온 다음날 이른 아침이다. 매일 아침 9시부터 관람이
가능하다 하고 천천히 둘러봐도 1시간이면 족하다 한
다. 관람을 마치면 10시 언저리일터 주변 해장국 집
따뜻한 국밥 한 그릇을 브런치로 한다면 더 할 나위
없을 것이다. 분위기 봐서 소주도 간단히 한잔 곁들인
다면 세상 아무것도 부럽지 않을 것이다. 이제나저제
나 눈 내릴 날만 기다린다. 관람이 끝나는 오후 5시반
부터 관람이 시작되는 아침 9시 사이에 굵은 함박눈
이 내려주면 금상첨화일 것이다. 소풍 기다리는 아이
마냥 시집갈 날 기다리는 새색시마냥 쉰 넘은 중늙은
이는 학수고대 중이다.

　　종로 3가 지하철역에 내린다. 차를 두고 왔다는 것
은 해장국과 소주 한잔을 미리 계획해 두고 있다는
말이다. 영화 대사처럼 다 계획이 있었다. 바라던 대

로 어제 밤 눈이 왔다. 함박눈까진 아니지만 눈이 뜸했던 요 근래 형편치고 꽤나 많이 내린 듯 하다. 계단을 따라 큰 길로 오른다. 출근 서두르는 자동차 소리가 벌써부터 어지럽다. 어제 내린 눈은 이미 검게 변했다. 아스팔트 도로 위는 부지런한 제설작업으로 눈 흔적이 없다. 인도(人道) 쪽으로 순결을 잃은 눈이 뭉텅뭉텅 쌓였다. 종묘로 이어지는 광장 또한 사람들 발자국으로 어지럽다. 따뜻한 날씨도 날씨지만 사람들 발자국에 눈은 이미 많이 녹았다. 녹은 눈은 검은 물이 되고 검은 물은 광장을 질퍽하게 적시고 있었다. 녹지 않고 살아남은 놈들도 검기는 마찬가지다. 주위로 높은 건물이 즐비하다. 600년간 이 자리를 지켜온 종묘가 왠지 손님처럼 어색하다. 내가 이곳의 터줏대감임을 내세우기라도 하듯 멀리 하얀 숲머리를 드높이고 섰다. 까치발로 선 것 마냥 한껏 치켜세웠다. 나 또한 젖은 광장을 까치발로 가로지른다.

종묘(宗廟)의 사전적 의미를 인용하면 다음과 같다. 『조선시대 왕과 왕비, 그리고 실제로 왕위에 오르지는 않았으나 죽고 나서 왕의 칭호를 올려 받은 왕과 그 비(妃)의 신주를 모시고 제사를 행하던 왕실의 사당』 한양이 도읍으로 결정된 뒤 가장 먼저 행한 일이 종묘(宗廟)와 사직(社稷)을 짓는 것이었다. 종묘는 역대 왕에 대한 제사 공간이고 사직은 토지의 신(社)과 곡식의 신(稷)에 대한 제사 공간이다. 주(周)나라 예법인 주례(周禮)에 따라 좌묘우사(左廟右社)를 도읍 건설의 근간으로 삼았다. 좌묘우사(左廟右社)는 왼편에 종묘를 짓고 오른편에 사직을 짓는다는 뜻이다. 군주는 일반적으로 남면(南面)하게 되는데 조선의 법궁 경복궁을 기준으로 볼 때 동쪽(왼편)에 종묘가 서쪽(오른편)에 사직이 위치하고 있다. 사극을 통해 익히 알고 있는 『전하! 종묘와 사직을 보존하소서』는 종묘 + 사직 = 국가라는 등식을 상징적으로 나타내는 말이다. 종묘와 사직은 국가의 근간이고 지존이었다. 유교 문화권에서 사람은 정신을 의미하는 혼(魂)과 육신을 의미하는 백(魄)으로 이루어져 있다고 여겼다. 우리가 흔히 혼백(魂魄)이라 하는 말도 여기서 말미암은 것이다. 사람이 생명을 다하면 혼과 백이 분리되는데 백(魄)은 묘를 써서 모시고 혼(魂)은 신주를 만들고 사당에 모셔 기렸다. 왕가에 대입하면 백(魄)은 왕릉으로 모시고 혼(魂)은 종묘로 모시는 것이다. 일반적으로 혼은 4대(代), 약 120년이 지나면 서서히 흩어진다 하는데 그때까지 혼을 모시는 사대봉사(四代奉祀)

가 관례였다. 어렸을 때 이름도 모르는 고조할아버지 제사를 지냈던 기억이 있다. 사대봉사(四代奉祀)를 마치면 조상의 위패를 땅에 묻는 매조(埋祖)를 행하는데 이로써 조상과의 영원한 이별을 고한다. 하지만 4 대가 지나서도 매조(埋祖)치 않고 계속 사당에 모시는 경우가 있는데 이를 불천위(不遷位)라고 한다. 사전적 의미는 위패(位)를 옮기지(遷) 않는다(不)는 뜻이다. 당연히 아주 유명한 사람이 불천위의 대상이었을 것이다. 조선 후기가 되면 불천위 제사를 지내는 것이 가문의 자랑거리가 될 정도였다. 조정(朝廷)의 허락 없이는 함부로 불천위 제사를 지낼 수 없었기 때문이다. 전제군주 시대에 가장 유명한 사람은 다름 아닌 왕이었다. 왕은 매조(埋祖)의 대상이 아니라 불천위(不遷位)의 대상이었다. 종묘는 조선 왕실의 불천위 사당이었다.

입장료 천원을 내고 종묘로 들어선다. 아마도 내가 첫 관람객인듯하다. 아침부터 서둔 보람이 있다. 경내로 들어서는 순간 검었던 눈이 하얗게 변했다. 원래는 이랬다고 자랑이라도 하듯 눈은 본래의 하얀색을 자신 있게 드러내고 있었다. 검은 빛 하나 없는 순백의 눈이었다. 길을 따라 좀 더 안으로 들어간다. 누구도 눈을 밟지 않았는지 내린 모양 그대로다. 종묘는 길의 건축이라고도 표현한다. 참배길을 따라 전각들이 그 용도에 맞춰 자리하고 있다. 길을 따라가면 임금의 동선을 모두 읽을 수 있다. 일종의 큐시트 같은 역할을 대신하고 있다. 길은 신도(神道)와 어도(御道)로 나뉘는데 신도(神道)는 신(神)이 다니는 길 즉 선대 왕의 혼령이 다니는 길이고 그 양측으로 임금과 세자가 걷던 어도(御道)가 있다. 이를 합쳐 삼도(三道)라 한다. 신도(神道)는 임금이라도 밟지 못했고 어도(御道)는 임금이 아니면 누구도 밟지 못했다. 이를 알리 없는 눈은 길을 구분치 않았다. 인간의 법도 따윈 안중에도 없는 듯 눈은 차별 없이 공평하게 모든 곳에 내렸다. 모두 똑같은 높이로 내려 앉았다. 길은 얼마 가지 못해 왼쪽으로 꺾이고 또 얼마 가지 못해 오른쪽으로 꺾인다. 임금이 다니는 길이라 하기엔 꺾임이 너무 잦다. 만인의 지존 임금이 걷기엔 뭔가 어울리지 않는다. 하지만 이곳은 종묘고 임금은 지금 선대왕의 혼령을 만나러 가는 길이다. 경복궁 근정전 앞뜰을 거니는 것이 아니다. 조상의 혼령을 만나러 가는데 신랑 입장하듯 곧은 길로 곧장 들어갈 순 없었을 것이다. 만약 그렇다면 경건함은 분명 반감됐을 것이다. 부모가 죽으면 어떤 경우에도 자식은 죄인이 되는 법인데 곧게 뻗은 참배길은 죄인에게 어울리지 않았을 것이다. 깊은 생각으로 만들어진 길이다. 경건함을 자아내는 장치는 이 뿐만이 아니었다. 길 표면도 고르지 않게 했다. 흔히들 박석(薄石)이라고 하는 울퉁불퉁한 돌을 그래도 사용했다. 임금의 길로는 분명 어울리지 않지만 이 또한 조상의 음덕(蔭德)을 기리며 천천히 걸으라는 의미일 것이다. 이로써 임금은 울퉁불퉁하고 곧지 못한 길을 천천히 걸어 조상의 영혼이 잠든 곳으로 찾아 들었다. 경건한 마음과 함께였다.

임금도 세자도 아닌 나는 삼도(三道) 언저리를 걸어 종묘의 중심으로 들어간다. 어도(御道)는 얼마든 걸어도 문제될 건 없으나 왠지 임금을 능멸하는 것 같아 용기가 나지 않았다. 아무래도 사극을 너무 많이 본 듯하다. 어디선가 내금위장이 호통치며 뛰쳐나올 것만 같았다. 언저리 길이지만 삼도(三道)처럼 울퉁불퉁하지 않아 좀 더 편하게 주위를 둘러볼 수 있었다. 넓지 않는 마당에 숲이 우거졌다. 겨울인데도 숲으로 보일 만큼 나무가 무성하다. 모두 어제 내린 눈을 힘겨워하고 있다. 생뚱맞게도 조지윈스턴의 디셈버 앨범 표지 사진이 떠오른다. 사진 속 풍경과 지금 모습은 닮

은 데가 전혀 없다. 그래서 생뚱맞다 했다. 대학 졸업
반이던 해 무척이나 춥던 겨울날이었다. 아무런 계획
없이 남이섬을 간 적이 있다. 왜 그랬는지 이유는 기
억나지 않는다. 실연 때문이 아니었음은 틀림없는 사
실이다. 지금처럼 요란스럽지 않았을 때였다. 숙소 예
약도 없이 마지막 배를 탔다. 다행히 하나 남은 숙소
를 구할 수 있었고 무사히 밤을 날 수 있었다. 다음날
아침 마주한 남이섬과 북한강의 모습은 디셈버 앨범
표지 사진 그 자체였다. 아마도 그 기억이 지금까지
남은 듯하다. 여기서 캐논 D 까지 듣고 싶다 하면 이
는 과욕일 것이다. 보태평(保太平), 정대업(定大業) 같
은 종묘제례악을 들어야 하는데 웬 캐논 D 란 말인가.
이 또한 불충(不忠)일 것이다. 『전하! 저자의 목을 베
어 저잣거리에 효수하시오소서!』 하는 신하들의 외침
이 들리는 것만 같다. 얼른 정신을 차려보지만 지금
이순간만큼은 그런 욕심을 포기할 수 없다.

　쓸데없는 내 생각과 다르게 나무들은 하나같이 읍
(揖)을 하고 섰다. 논어 위정(爲政)편 1 장에 의하면
덕치(德治)를 하면 뭇 별들이 제자리에 머물러 있는
북극성을 향해 읍(揖)을 하듯 뭇 사람들의 추앙을 받
을 것이라 했다. 무엇을 향해 읍(揖)을 하고 있는지

모르겠다. 내 눈에는 그냥 추워 보였다. 임금의 동선을 따라 걷다 보니 이내 재궁(齋宮)이다. 재궁(齋宮)은 임금이 제사를 올리기 전 몸과 마음을 가지런히 하는 공간이고 휴식을 취하는 대기 공간이다. 재궁(齋宮)에는 3 채의 건물이 있는데 모두 단아한 맞배지붕을 하고 있다. 조선시대 건물은 대개가 화려한 팔작지붕을 기본으로 한다. 임금과 세자가 머무는 건물의 지붕이 팔작지붕이 아닌 맞배지붕이다. 화려함을 버리고 단아함을 취했다. 다시 한번 조상에 대한 세심한 마음 씀이 느껴지는 대목이다. 나중에 안 사실이지만 종묘의 모든 건물이 맞배지붕이다. 이 또한 같은 마음이었을 것이다. 맞배지붕 처마 밑으로 고드름이 얼었다. 서울에서는 좀처럼 보기 드문 고드름이다. 서울에는 지붕이 없다. 옥상이 있을 뿐이다. 삼각지붕은 없어진 지 오래다. 아파트든 빌라든 심지어 단독주택까지도 지붕이 모두 네모 반듯하고 평평하다. 삼각형 지붕을 포기하는 대산 초록색 우레탄으로 방수처리를 했다. 고드름이 보이지 않는 이유다. 방범용 철창을 타고 내린 고드름을 본 게 전부인 듯하다. 재궁(齋宮)의 맞배지붕 건물은 빗물을 피하기 위해 지붕 창을 앞으로 뺐다. 어릴 때 사생대회에서 그리던 집과 마찬가지로 삼각지붕을 가졌다. 지붕 밑 처마마다 고드름이 주렁주렁 열렸다. 실로 오랜만이다. 솔직히 그리워한 적은 없었다. 하지만 만나니 반가웠다. 재궁(齋宮)에는 5개의 문이 있다. 임금과 세자가 머무는 공간이라 담으로 경계를 확실히 했다. 담이 없으면 문도 없을 터인데 담이 있어 소담한 문이 생겼다. 동쪽으로 두 개 서쪽으로 두 개 그리고 정문까지 총 5개다. 크지 않은 건물에 문이 다섯 개라니 과하다는 생각이다. 분명 각각의 문은 각각의 소임이 있을 것이다. 우리 조상들의 지혜를 믿어 의심치 않는다. 진짜 소임이 무엇인지 나는 모른다. 그런데 그 소임을 우연찮게 찾았다. 사진 스폿으로서의 소임이다. 고졸한 문은 붉은 색 기둥을 하고 있다. 문을 통해 보이는 바깥 풍경은 하얀색 눈꽃 천지다. 눈꽃 천지를 떠받치는 건 빈약하지 않은 숲이다. 그냥 카메라 버튼만 누르면 될 일이다. 5개 문은 각각 다른 풍경을 담고 있다. 이 또한 각각의 소임이라면 소임이라 할 수 있을 것이다.

이제 종묘의 하이라이트 정전(正殿)으로 간다. 옛날 왕들은 재궁의 서문을 나와 정전 동쪽 곁문을 통해 정전 안으로 들었다 한다. 관람객의 동선은 이와 다르다. 삼도(三道)를 따라 정문인 신문(神門)으로 들어가 정전의 전체 모습을 한 눈에 보는 것이 관람객의 동선이다. 가슴 높이의 월대가 넓게 펼쳐졌다. 그 뒤로 정전이 무거운 돌덩이마냥 푹하고 내려앉았다. 정전의 양 옆으로 월랑이 꺾쇠모양을 하고 건물의 끝이 이곳임을 알려준다. 정전(正傳)에는 총 19개의 신실이 있다. 조선은 왕이 총 27명(폐위당한 연산군과 광해군을 제외하면 25명)이고 추존왕과 태조의 4대조(목조, 익조, 도조, 환조)를 더하면 19개의 신실로는 턱없이 부족할 듯 보였다. 이에 정전 바로 옆으로 영녕전(永寧殿)을 짓고 부족한 신실공간을 확보했다. 치세가 길고 업적이 뛰어난 왕은 정전으로 모시고 태조의 4대조를 포함한 추존왕과 재위 기간이 짧아 이렇다 할 업적을 남기지 못한 왕은 영녕전(永寧殿)으로 모시게 했다. 정전(正殿)은 진정한 의미의 불천위(不遷位) 신위를 모신 곳이고 영녕전은 천위(遷位)한 신위를 모신 곳이다. 그런데 꺼림칙한 사실이 하나 있다. 분명 재위 기간이 길고 업적이 뛰어난 신위를 모셨다 했는데 선조(宣祖)와 인조(仁祖)가 정전에 모셔져 있다. 재위 기간은 길었을지 모르나 업적은 글쎄다. 백성을 도탄으로 빠뜨린 암군(暗君)이다. 묘호(廟號)도 둘 다 종(宗)이 아닌 조(祖)를 쓰고 있다. 일반적으로 업적 많

은 임금에게는 조(祖)를, 덕이 많은 임금에게는 종(宗)
쓴다는데 이 두 암군은 무슨 업적이 있어 묘호에 조
(祖)를 쓰고 있는지 궁금하다. 이유를 모르는 바는 아
니나 만족스럽지 못한 처사가 마음에 걸린다. 어제 내
린 눈으로 월대고 정전 지붕이고 모두 하얀 눈으로
덮였다. 월랑의 자그마한 지붕도 예외는 아니었다. 기
와 골 물결무늬를 자랑하던 정전 지붕도 물결을 잃었
고 월대 위 박석도 울퉁불퉁한 본래 모습을 잃었다.
용마루는 자기 생김새를 따라 눈 띠를 길게 펼쳤고
몇 안 되는 잡상들은 머리만 내밀고 하릴없이 먼 곳
만 바라보고 있다. 월대 돌벽 만이 눈으로부터 자유로
웠다. 월대에 올라 아무도 밟지 않은 눈을 밟을까 고
민도 있었으나 이내 포기했다. 다음 사람을 위한 배려
라기 보단 처녀림 같은 눈밭에 흔적을 남기는 내 발
자국을 용납할 수 없었다. 서산대사 시(詩) 답설(踏雪)
처럼 어지럽게 함부로 걸어 뒷사람에게 그릇된 이정
표나 남기지 않을까 하는 걱정까지는 아니더라도 왠
지 그 모습 그대로 두고 싶었다. 옳은 생각이고 잘한
처사라 생각한다. 참고로 MBTI 로 본 내 성향은 I 이
다. 정전의 총 길이는 100 미터 정도라 한다. 맞배지
붕으로 19 개의 열주가 건물을 지탱하고 있다. 맞배지

붕에는 배흘림 기둥을 써 건물의 안정성을 시각적으로 보장코자 하는데 정전의 기둥은 그렇지 않다. 더군다나 건물 높이가 높지 않아 전체적으로 대지에 낮게 내려앉은 모습니다. 땅으로부터 올라선 건물이라기보단 하늘로부터 내려선 듯한 모양이다. 무겁게 내려앉은 모습에서 경외감과 함께 경건함을 느낀다. 100 미터 남짓 정전 건물에 조선조 500 년의 역사가 스며들어 있었다. 경건함의 대상이 조선의 열성조(列聖朝)가 아니더라도 내 느낌은 마찬가지였을 것이다. 지금은 겨울이고 눈과 함께 주위는 적막하다. 인간의 소리는 물론 자연의 소리도 잦아들었다. 경건함이 뭔지 확실히 표현할 순 없지만 아마도 지금이 경건함의 극치일 것이라는 생각에는 의심이 없다. 내린 눈으로 한층 땅으로 내려 앉은 듯한 건물이 더욱 경건하게 한다. 그 무엇도 센티멘털한 감정을 강요하지 않는다. 가만히 선 정전과 가만히 바라보는 나 사이의 순수한 교감일 뿐이다. 경건함을 넘어 엄숙함이 느껴지는 하얀 아침이다.

바로 옆 영녕전(永寧殿)으로 간다. 정전(正殿)에 비해 건물이 단출하다. 월대도 높이나 넓이 면에서 정전의 그것과 비교가 되지 않는다. 이곳은 사연 많은 임금들의 안식처다. 태조 이성계의 4대조와 추존왕 5위를 제외하고 실제 왕위에 올랐던 임금의 신위 7개가 있다. 그 면면을 보면 다들 그럴만한 사정이 있어 보인다. 동생 이방원의 등쌀에 못 이겨 마지못해 왕위에 오른 정종, 숙부 수양대군에게 왕위를 찬탈 당하고 비운의 죽음을 맞이한 단종, 단종의 생모 현덕왕후의 저주 때문인지 어린 나이에 유명을 달리한 세조(수양대군)의 아들 예종, 계모 문정왕후의 공작 때문인지 확실하지 않지만 기묘하게 세상을 떠난 인종, 문정왕후의 영원한 마마보이 명종 그리고 동생 연잉군(훗날 영조)이 올린 간장게장과 곶감을 먹고 세상을 떠난 경종의 신위가 모셔져 있다. 누구 하나 사연 없는 이가 없다. 명종을 제외하곤 말이다. 명종의 재위기간은 22년으로 결코 짧지 않다. 치세기간 동안 나름의 업적도 있었는데 마마보이라는 이유만으로 영녕전(永寧殿)에 모셔져야 한다니 이유가 좀 과하지 않나 싶다. 나중에 안 사실이지만 왕위를 이을 왕자를 생산하지 못해 영녕전으로 모셔진 거란다. 조선시대에는 왕자를 생산하지 못해도 큰 흠이었던가 보다. 그럴 일도 없지만 내가 조선의 왕이었다면 영락없이 영녕전 신세였을 것이다. 아니 폐위만 되지 않아도 다행이었을 것이다. 영녕전 오기 전 너무 훌륭한 건물을 보고 온 탓일까? 정전에서 느꼈던 감동이 이곳에서는 좀처럼 다시 일어나지 않는다. 영녕전 건물은 태조의 4대조을 모신 건물 중앙부가 좌우보다 약간 높게 돌출되어 있다. 깊게 내려앉아 경건함과 엄숙함을 자아내던 정전과는 사뭇 다른 분위기다. 하방감은 상승감으로 바뀌고 엄숙함은 경쾌함으로 바뀐 듯하다. 경쾌함까진 아닐지라도 확실히 건물과 월대에서 느낀 감동은 정전의 그것에 비해 많이 모자란듯하다. 내린 눈도 영녕전의 이런 분위기를 쉴드 치지 못하는 듯하다. 이곳에서는 이곳 주인공들의 기구한 사연을 되짚는 것으로 관람을 마치고 종묘 최고의 포토스팟 악공청으로 걸음을 옮긴다. 악공청은 제례 시 제례악을 연주할 악사들이 대기하던 장소. 단층에 기둥과 지붕으로만 이뤄진 건물이다. 벽도 없고 문도 없다. 사방으로 탁 트인 모습이다. 붉은 색 기둥 사이로 네모난 프레임이 생겼다. 프레임 사이로 보이는 풍경이 그야말로 그림이다. 그림 같다로는 부족하다. 그냥 그림이다. 재궁(齋宮) 쪽문에서와 마찬가지로 이곳에서도 그냥 카메라 버튼만 누르면 될 일이다. 어떤 인위적 노력도 필요 없다. 누르는 만큼 인생 사진을 건질 수 있을 것이다.

이제 영녕전 옆길을 따라 종묘 둘레길(?) 산책을
할 것이다. 어쩌면 이 길을 걷기 위해 아침부터 서둘
렀는지 모른다. 서울에서 하얗게 쌓인 눈을 볼 수 있
는 몇 안 되는 곳이다. 발걸음과 함께 들려오는 뽀드
득 소리가 귀엽다. 산책로 주위로 얇지 않은 숲이 침
묵한 채 자리하고 있다. 영녕전과 정전의 뒷길을 차례
로 돌아 나갈 것이다. 세계문화유산이니 국보 몇 호니
하는 찬사는 오늘 아침과 어울리지 않는다. 엄숙함이
있었고 경건함이 있었다. 눈이 있었고 나무가 있었다.
조상에 대한 마음 씀씀이가 있었다. 그리고 감동이 있
었다. 이것으로 충분하다. 흡족한 마음에 작은 연못
지당(池塘)의 향나무를 끝으로 종묘 답사를 마무리한
다. 들어갈 때처럼 눈의 색깔이 바뀌었다. 하얀색에서
다시 검은색으로. 하지만 아직 쇼는 끝나지 않았다.
따뜻한 해장국과 그 만큼 따뜻한 소주가 나를 기다리
고 있다. 들어갈 때와 마찬가지로 까치발을 하고 광장
을 지난다.

궁금한 크리스마스

또다시 크리스마스다. 예년과 다를 바 없고 어제와 다를 바 없다. 같이 즐길 이가 없다. 올해도 오늘도 혼자다. 설사 혼자가 아니더라도 청춘의 설렘은 더 이상 없었을 것이다. 어설픈 실력으로 피아노를 친다. 캐롤 몇 곡이다. 혼자 치고 혼자 듣는다. 감동도 없지만 있더라도 혼자 몫이다. 혼자만의 크리스마스를 즐긴다. 멀리 대청봉이 한심하다는 듯 내려보고 있다. 머리에 하얀 눈을 뒤집어 쓴걸 보니 내 머리만 하얀 게 아니구나 하는 생각이다.

형편이야 그렇다손 치더라도 올해 크리스마스는 특별한 점이 있다. 궁금한 크리스마스다. 크리스마스가 궁금한 게 아니라 궁금한 게 많은 크리스마스라는 뜻이다. 여름에 성경을 읽었다. 그것도 두 번씩이나. 성경만 읽은 것이 아니다. 관련 해설서들을 같이 읽었고 관련 강의들을 함께 청취했다. 고해성사를 하자면 시편과 역대상, 역대하는 읽지 않았다. 성경 공부를 결심한 데는 이런저런 이유가 있었다. 먼저 구색을 갖추고 싶었다. 석가모니나 공자 가르침이야 깊게는 아니더라도 나름 공부를 했던 터라 대강의 밑그림이라도 그릴 수 있었다. 하지만 예수의 가르침에 대해선 아는 게 없었다. 『믿음과 사랑과 소망 중에 사랑이 최고』라든지 『세상의 빛과 소금이 되어야 한다』 정도가 내가 아는 가르침의 전부였다. 대화 중에 기독교 이야기가 나오면 갑작스런 질문이나 받지 않을까 노심초사였다. 모르는 수학문제가 적힌 칠판 앞에 선 심정이었다. 기독교는 분명 2천년 넘게 서양 사회를 지탱해 온 정신적 토대였다. 6백년 전부터는 대륙을 옮겨 온 지구에 영향을 미쳤다. 외면할 수 없는 엄연한 실존이다. 분명 뭔가 있을 것이다. 그렇지 않고선 저렇게 많은 십자가가 어둠 속에서 빛날 수 없을 것이다. 호기심이라기 보다는 의무감이 발동했다. 석가모니나 공자의 가르침처럼 꼭 알아보고 싶었다. 두 번째는 문맹(文盲)에서 탈출하고 싶었다. 교회이름의 의미를 알 수 없었다. 춘천에는 이름난 대형교회가 있다. 안디옥 교회다. 귀갓길에 항상 만나는 교회다. 그 정도 규모는 아니지만 벧엘 교회도 있다. 무슨 의미일까? 사람 이름인가? 아니면 성경의 한 장(章)인가? 문맹인과 마찬가지였다. 가타카나를 모르고 일본 거리를 거니는 듯 했다. 물론 녹색 검색창을 통해 금방 알아볼 수 있었다. 그렇게 하기는 싫었다. 당장의 궁금증 해소가 중요하지 않았다. 전체적인 맥락을 알고 싶었다. 그러던 중 한 인사(人士)를 만나면서 완전한 결심을 하게 되었다. 드럼 선생님이다. 항상 웃는 모습이다. 유순하고 행복해 보였다. 은연중에 기독교인임을 내비친다. 전도(傳道) 욕구가 충만했으나 결코 입 밖으로 내지 않았다. 귀엽기도 하고 애처롭기도 했다. 뭐가 저이를 저렇게 애타게 하는지 궁금했다. 6, 7, 8 월 세 달간 하안거(夏安居)에 들었다. 화두는 기독교였다.

성경 공부를 시작하기 전 나름의 원칙을 세웠다. 어떠한 선입견도 없이 공부를 하겠다는 결심이었다. 부정적인 선입견도 있고 긍정적인 선입견도 있다. 물론 부정적인 것이 많을 것이다. 부정적인 것이 자극적이고 자극적인 것이 기억에 오래 남는 법이기 때문이다. 멀리는 중세 마녀사냥부터 십자군 전쟁까지 반인륜적인 역사적 사실들이고 가까이로는 일부 목사들의 일탈행위들이다. 성폭행, 노동착취, 알박기, 대형교회 대물림, 납세 거부 등등이 그 예라 할 수 있다. 좀 더 가까이로는 반(反) 기독교인이었던 지인이 결혼한지 반 년 만에 신앙활동을 시작하게 된 것이다. 순수 본인 의지에 의한 거라면 딱히 할 말이 없으나 배우자의 강요(?)에 의한 거라면 이 또한 부정적인 선입견이 될 것이다. 아무래도 후자에 가깝지 않나 생각 중이다. 이런저런 사정이 있음에도 최대한 가치중립을 지키고자 마음을 굳게 먹었다. 또 다른 결심은 다른 종교나 사상과 비교하지 않겠다는 거다. 석가모니는 이렇게 했는데 공맹(孔孟)은 이렇게 가르쳤는데 기독교는 이렇게 이야기하네 같은 비교하고 분석하는 접근은 피하고자 했다. 비교하게 되면 분명 우열이 생길 터, 내 주제에 가당치도 않을 일이다. 원래 비교 대상이 되지 않는 주제들이다. 설사 비교가 가능하다 해도 나에 겐 그런 재주가 없다. 어설픈 비교로 엉뚱한 결론에 도달하지나 않을까 하는 걱정이 앞섰다. 순수하게 복음과 교리를 있는 그대로 알아가고 느끼고 싶었다.

세 달간의 용맹정진이 끝났다. 성경을 2회 완독했다. 더불어 참고가 될만한 자료들을 게으름 피우지 않고 탐독했다. 성경의 기본 구조와 내용을 어렴풋이나마 이해할 수 있었다. 물론 안디옥이나 벧엘 같은 교회 이름이 뜻하는 바도 알 수 있었다. 하지만 읽을수록 풀리지 않는 의문들이 쌓였다. 원래 그런가 보다 하고 넘기기엔 왠지 개운치 않았다. 핸드폰 메모장에 하나하나 적기 시작했다. 오래지 않아 질문들로 가득했다. 예전에 스님과 얘기를 나눌 기회가 있었다. 팔공산 토굴에 계신 스님인데 어찌어찌 하여 인연이 닿았다. 그날 저녁 많은 질문이 있었다. 아난다 존자가 들었다는 여시아문(如是我聞)은 진정 부처님 원음이란 말인가? 무아(無我)와 윤회는 서로 배치되는 것 아니냐? 선(禪)불교가 원시 소승불교로의 회귀를 의미하는 것은 아닌가? 방편이라는 말을 오히려 방편으로만 사용하는 거 아니냐? 해탈은 순수 중생의 몫이라며 수수방관만 하는 거 아니냐? 등등이 그날의 질문이었다. 선무당의 겁 없는 질문들이었다. 그 날 스님이 어떤 대답을 했는지는 기억이 나지 않는다. 술에 취했기 때문이다. 물론 스님도 술에 취했다. 산 중이라 그런지 마주보고 피우는 담배는 맛있었다. 저녁 메뉴는 해물탕이었다. 세월이 약이라고 궁금증은 해결되지 않은 채 사라졌다. 그 또한 방편이었으리라. 하지만 지금 경우는 다르다. 이제 갓 나름의 공부를 마쳤다. 궁금증은 현재 진행형이다. 다시 한번 선무당이 된 기분이다. 답답한 마음에 채널 233 번 CBS 방송을 빠지지 않고 시청했다. 유명 목사들 설교가 연속 방송 중이다. 자막은 대개가 창세기 몇 장 몇 절, 이사야서 몇 장 몇 절 같은 형식이었다. 낯설지 않고 반가웠다. 이해도는 이전과 비교가 되지 않을 정도로 깊었다. 설교는 비슷한 포맷으로 진행되었다. 성경구절 한두 개를 제시하고 일상사든 성경의 다른 구절이든 관련 내용을 덧붙여 설교를 풀어갔다. 마지막은 하나님 은혜와 믿음에 대한 강조였다. 궁금증을 해소하기에는 턱없이 부족했다. 책을 찾아 나섰다. 『기독교인인 직면한 12 가지 질문』이라는 책이었다. 목차를 보니 내 궁금증들이 질문으로 제시되어 있었다. 가령 진정한 믿음은 하나만 있다고 어떻게 말할 수 있는가? 성경을 어떻게 문자 그대로 받아들일 수 있는가? 사랑이신 하나님이 어떻게 그토록 큰 고통을 허용할 수 있는가? 사랑이신 하나님이 어떻게 사람들을 지옥에 보낼 수 있는가? 등이 주요 질문이었다. 기대가 컸다. 조악한 번역문을 읽어 내기 힘들었지만 궁금증 해소가 우선이었기에 그 정도 수고는 감수했다. 나를 더 힘들게 했던 건 명쾌한 설명을 듣지 못했다는 점이다. 질문에 대한 해답을 제시하기 위해 저자는 유명 학자들의 말을 인용했다. 객관적인 증거를 제시하고자 애쓴 흔적이 역력했다. 그 유명 학자들이 대부분 무신론자에서 기독교인으로 새로이 신앙을 갖게 된 사람들이었다. 간증 자료 같았다. 저자는 객관적이지 못했다. 과학과 종교는 다르다 주장하면서 어설픈 과학적 논리와 주장으로 접근하려 했다. 애초에 불가능한 일이다. 다른 종교보다 폐해가 덜하기 때문에 기독교가 우위에 있다는 주장도 덧붙인다. 홍시 맛이 나서 홍시 맛이 난다는 드라마 대사와 같은 논리다. 성경에 그렇게 되어 있으니 그렇다는 논리다. 2+3=5 라는 등식이 있다. 여기서 진실은 등호(=) 밖에 없다. 진짜로 2 가 맞는지 진짜로 3 이 맞는지 연산은 더하기가 맞는지를 알고 싶은데 성경에 이런 구절이 있으니 2+3=5 가 통째로 진리라고 주장한다. 궁금증은 다람쥐 쳇바퀴 돌 듯 제자리로 돌아왔다. 물론 더 좋은 해답이 담긴 책이나 자료가 있을 것이다. 아직 찾지 못했을 거라 위안해 본다. 그렇다면 반대 입장을 취하는 책을 읽어보면 실마리라도 찾을 수 있지 않을까? 반대 논리를 반박할 수 있다면 궁금증의 해결책이 될 수도 있을 것이라는 생각이었다. 부정의 부정은 긍정이니까. 17 세기부터 금서로 여겨진 『세 명의 사기꾼 모세 예수 마호메트』라는 책을 찾았다. 저자가 『스피노자의 정신』이다. 저자 이름이 이상하다. 유대교, 기독교, 이슬람교에 대해 직격탄을 날린 불온서적이다 보니 저자를 밝힐 수 없었을 것이다. 지금까지도 저자가 밝혀지지 않았다. 대충의 내용은 다음과 같다. 『종교란 대중의 무지에 기대어 완전한 허구를 기초로 축조된 체제이고 권력자는 눈에 보이지 않는 초월적 신을 내세우고 그 앞에 민중의 복종을 강요함으로써 자신의 입지를 세우고 유지한다. 인간은 이러한 미몽으로부터 깨어나야 한다』 성령인 아버지와 동정녀 어머니 사이에서 태어난 예수의 탄생과 자가 당착에 따진 예수의 윤리 체계에 대해 교활하다 못해 그가 얼마나 재기 넘치는 인간이냐고 주장했다. 본문의 내용을 그대로 옮기다 보니 문장 자체로는 쉽게 이해가 되지 않는다. 횡간의 뜻을 읽기로 했다. 각설하고 기독교를 옹호하는 논리보단 구체적이고 주장하는 바가 무엇인지 이해할 수 있었다. 역시 비판적 공격은 수세적 수비보다 쉬운가 보다. 그렇다고 궁금증이 해결된 것은 아니었다. 아무래도 내가 너무 어려운 화두를 잡은 듯하다. 사실 궁금증이 해소되더라도 딱히 좋을 일도 없다. 하지만 그간 성경을 접하면서 가졌던 궁금증 정도는 정리를 해 둘 필요가 있다고 생각했다. 설사 그 궁금증을 해소하지 못하더라도 정리를 해둠으로써 보잘것없는 내 인문적 지평이 조금이나마 넓어지지 않을까 하는 근거 없는 믿음도 함께다. 내용이 다소 비판적으로 보일 수 있지만 공부를 시작할 때의 다짐처럼 가치중립적임을 다시 한번 이야기해 둔다. 질문이 다소 유치하게 보일지라도 나름 심각하니 이 부분도 넓은 마음으로 이해해주기 바란다.

궁금한 점 1 : 내가 원죄를 타고 났다고? 4월생이니깐 아마도 6월 초여름의 어느 날이었을 것이다. 아버지께서 좋아하는 술도 안 드시고 일찍 귀가하셨다. 그 날 어머니와의 사랑으로 내가 생겼을 것이다. 위로 형들도 3명이나 있는데 아마도 일찍 재웠을 것이다. 어디 하나 죄스러워 보이는 구석이 없다. 아름답기만 하다. 그런데 원죄라니. 억울하다. 나는 선악과를 먹어보기는커녕 본 적도 없다. 연좌제도 이런 연좌제가 없다. 출발부터 마이너스다. 기껏해야 제로다. 소천(召天) 이후에야 심판을 받고 천국으로 간다. 그럼 현세는? 인간이 살아야 하는 아니 살아내야 하는 것은 현세다. 마이너스 상태로 허덕이며 심판을 위해 살아야 한다? 글쎄 잘 모르겠다. 단군신화에 나오는 호랑이는 100일을 참지 못하고 동굴을 뛰쳐나갔다. 그래서 사람이 되지 못했다. 그 정도면 수긍할만하다.

궁금한 점 2 : 구약의 하나님은 왜 이렇게 폭력적인가? 흔히들 구약은 진노의 하나님이고 신약은 사랑의 하나님이라 한다. 후자는 잘 모르겠으나 전자는 그 사례가 드물지 않다. 홍수 심판, 애굽에 내린 열 가지 재앙, 홍해사건, 가나안 정복 전쟁, 아말렉 진멸 등등이다. 사랑은 조금이요 복수와 심판은 여럿이다. 폭력의 대상이 이민족에게만 국한된 것도 아니다. 아브라함 자손들도 폭력의 예외가 아니었다. 자신에 대한 조금의 불신도 용납하지 않았다. 다른 신에 대한 약간의 곁눈질 조차 참을 수 없었다. 단죄는 피아(彼我)를 구분하지 않았다. 폭력의 대상에도 예외를 두지 않았다. 숨쉬는 모든 것이 대상이었다. 아이도 여자도 노약자도 심지어 가축도 진멸의 대상으로 삼았다. 폭력의 방법도 잔인하기 그지 없다. 에스겔서 39 장 18 절-20 절 내용을 어떻게 설명할 수 있단 말인가. 이유는 유일신인 자신을 믿지 않는다는 것이다. 조선민주주의인민공화국이 연상된다. 그나마 폭력의 이유라도 알면 다행이다. 어떨 땐 이유도 모르는 폭력이 자행될 때도 있다. 많이 제기되는 문제이기에 해명(?) 자료 또한 여럿이다. 제발 A 로 물었으면 A 로 답해주면 좋겠다. 모두 죽이지는 않고 선택된 몇 명은 살렸다는 둥, 과장의 메타포(metaphor)라는 둥 그것도 아니면 폭력과 배치되는 파편 한 두 구절을 인용함으로써 설명을 대신하려 한다. 어쩔 땐 안쓰럽기까지 하다. 해명은 그렇다고 치더라도 종교가 이렇게 폭력적이어도 되는지 의문이 꼬리에 꼬리를 문다.

궁금한 점 3 : 어떻게 여호와만이 선(善)이란 말인가? 구약에 의하면 아브라함 자손만 선(善)이고 -그것도 청종(聽從)하는 자만- 나머지는 모두 적이다. 이상한 형사재판 같다. 검사도 여호와고 판사도 여호와다. 변호사는 없다. 반대 생각도 가능할 수 있다. 가령 이스라엘 족속에 대립했던 민족들의 입장에서 보면 여호와 자체가 적이 될 수도 있다. 어떤 기준으로 나만 선(善)이고 나머지는 악(惡)이라 규정할 수 있는가. 종교는 분명 보편성과 상대성을 그 기본으로 삼아야 한다. 구약의 하나님은 이와 거리가 멀다. 족속 강령에 가깝다. 민족주의 이데올로기를 벗어나지 못했다. 오히려 그 보다 더 편협 됐다. 맹목적 복종만 강요했다. 고등 종교가 가져야 하는 기본적 속성과 많이 멀었다. 어떤 해명들이 있을 수 있을까?

궁금한 점 4 : 이 정도라면 기독교는 구약과 결별해야 되는 것 아닌가? 유대교와 기독교는 각자의 길을 걸은 지 오래다. 유대교는 구약을 믿고 기독교는 신약을 믿으면 될 일이다. 신약(新約)이 무엇인가? 새로운 약속이라는 뜻이다. 그렇담 구약은 옛날 약속이 될 것이다. 새로운 기치를 들고 나온 기독교라면 신약으로 충분하지 않을까? 신약만으로도 고개가 갸우뚱해지는데 구약까지 거들어야 하니 너무 수고스럽지 않은가? 혹시 연보(捐補)로는 부족해서 그런가?

궁금한 점 5 : 예수님이 인류의 죄를 대신 씻어 구원하기 위해 십자가에 매달리셨다는데 성경 어느 구절에서 확인할 수 있는가? 여기서 이야기 하는 인류의 죄가 혹시 원죄를 의미하는 건가? 예수의 대속(代贖)으로 인간의 죄는 사라졌는가? 대속(代贖) 사역이 완성되는 순간 『나의 하나님, 나의 하나님 어찌하여 나를 버리셨나이까』 하고 소리쳐 부른다? 하나님이 예수님을 버림으로써 대속이 완성되었단 말인가? 알쏭달쏭이다.

궁금한 점 6 : 기독교의 윤리 강령에 대해 어떻게 독창성을 인정할 수 있는가? 기독교 윤리의 대부분은 하나님에 대한 강령이다. 인간사(人間事)에 관해서는 구약의 십계명 일부와 신약의 산상설교 정도일 것이다. 하나님에 대한 윤리 강령은 차치하고라도 인간사에 관한 윤리 강령 중 뭔가 특별한 것이 있는가? 우리 아버지도 이웃과 사이 좋게 지내라고 가르치셨다. 교장선생님도 훈시를 통해 남을 비판하지 말라 가르치셨다. 딱 하나 원수를 사랑하라 정도가 일반 윤리의 범주를 벗어나는 듯 하다. 훌륭한 윤리 덕목이다. 하지만 기독교 역사를 뒤돌아 볼 때 정말 원수를 사랑했던가? 그러지 않았던 경우가 적지 않게 떠오르는 건 무슨 이유일까?

궁금한 점 7 : 기독교는 왜 믿음을 강요하는가? 믿음을 필요로 하는 이가 자율의사에 따라 도움을 청하고 형제 자매님들이 적절한 도움을 주는 정도면 무리가 없을 듯싶은데. 이런 좋은 말씀이 있다는 소개 정도로는 부족하단 말인가? 왜 모두 사도 바울이 되고자 하는가? 혹시 믿음이 없는 자를 무지몽매하다 치부하고 계도하고 계몽해야 할 대상으로 보는 건 아닌가? 하나님으로부터 선택 받은 것으로,

아니 좀 더 정확하게 하나님을 믿는다는 이유만으로 선민의식을 가지는 것은 아닌가? 믿음이 없는 자의 믿음을 기다릴 수는 없는가? 혹시 꼭 믿게 해야 할 이유가 있는가? 믿음과 사랑과 소망 중에 제일은 사랑이라 했는데 사랑은 어디 가고 믿음만 강요하는가?

대충 궁금한 사항들을 정리해 보았다. 이것 말고도 궁금한 점은 많다. 미국이 우리나라에 진출하지 않았다면 기독교 교세가 지금처럼 막강했을까? 모태신앙은 어떤 근거에 기초하고 있는 걸까? 헌금 많이 하는 부유한 신도가 바로 옆 교회로 옮긴다면 어떤 반응을 보일까? 등등이다. 비난을 위해 생각해 본 건 아니다. 비난이 목적이었다면 이렇게 긴 글을 쓰지 않았을 것이다. 이미 많은 이들이 비슷한 문제들을 제기했기 때문이다. 궁금한 점만 나열한 것이다. 공부를 한다 해서 궁금증이 해결될 일이 아님을 잘 안다. 예수님을 믿고 성경을 믿으면 일시에 해결될 문제다. A가 맞으면 a도 맞고 @도 맞는 것이다. A만 믿으면 나머지는 문제될 게 없다. 짧은 공부를 통해선 a가 맞는지 @가 맞는지 구분할 수가 없다. 하지만 믿음의 선후관계에 대해선 확실한 생각을 가질 수 있었다. A 가 맞으니 a 도 믿고 @도 믿어 라는 연역적 믿음보다 a 도 맞고 @도 맞으니 A 를 믿겠다는 귀납적 믿음을 갖고 싶다. 안타깝게 도 a 가 맞는지 @가 맞는지 궁금증은 좀처럼 해소 되지 않았다. 전국에 대충 8 만개의 교회가 있다 한 다. 치킨 집이 8 만 7 천개 수준이라니 치킨 집만큼 이나 많은 숫자다. 교세가 줄었다지만 신도수도 천 만에 육박한다. 형편이 이를진대 괜히 나만 유난스 러운 거 아닌지 걱정이 아닐 수 없다.

이래저래 심난한 크리스마스다. 외로움이야 한 해 두 해 일이 아니니 신경 쓰지 않는다지만 어설픈 공부로 궁금증만 가득해졌다. 선무당 굿 참견하듯 익지 않은 생각들만 가득하다. 식자(識字)라서 우환 (憂患)이면 다행이련만 식자(識字)도 아닌 것이 혼 자 우환(憂患)이다. 궁금한 크리스마스다.

겨울 속의 봄을 찾아서

　반가운 손님 사흘이고 듣기 좋은 꽃 노래도 한두 번
이라 했다. 아무리 좋은 것도 오래되고 자주 보면 별로
라는 뜻이다. 좋은 것도 이럴진대 하물며 천덕꾸러기
겨울은 어떻겠는가? 어떤 이유로도 겨울은 반가운 손
님이 아니고 듣기 좋은 꽃 노래가 아니다. 갑작스런 한
파가 시작된 11월 말부터 2월 중순인 지금까지 겨울은
줄곧 우리를 못살게 굴었다. 그 동안 세상은 동장군 마
음대로 얼고 녹고를 반복했다. 삼한사온은 무색해진 지
오래고 겨울은 마음 내키는 대로 세상을 쥐락펴락했다.

잊을만하면 한파는 다시 찾아왔고 죽을만하면 한파는 슬그머니 물러갔다. 그러기를 어느새 100일이다. 겨울이 지겹고 봄이 그립다. 봄이 와야 겨울이 물러날 건지 겨울이 물러나야 봄이 올 건지 앞뒤 관계는 확실치 않다. 하지만 3월말은 돼야 겨울은 겨울대로 떠날 것이고 봄은 봄대로 올 것이다. 그 즈음에야 봄다운 봄을 만날 수 있을 것이다. 한 달이나 남았는데 벌써부터 그리워하니 이 또한 걱정이다. 우물에서 숭늉 찾는 격이다. 그래도 노력은 해봐야 할 일이다. 남쪽으로 가볼까 한다. 혹시 겨울 한가운데도 봄이 존재할 수 있기 때문이다. 꼭 봄이 아니어도 좋다. 겨울만 아니면 좋을 듯하다. 그러려면 분명 남쪽으로 가야 할 것이다. 갈 수 있는 끝까지 가야 찾을 수 있을 것이다. 어쩌면 땅끝으로는 모자랄 지도 모른다. 바다건너 섬으로 들어가야 할 지도 모를 일이다. 그래도 제주도는 아니다. 부는 바람에 겨울 속 봄을 찾을 수 없을 듯 하기 때문이다. 설사 찾더라도 그간 맞아온 매몰찬 바람을 다시 맞기는 곤란하기 때문이다. 바람이 없다는 보장만 있으면 좋으련만 장담할 수 없는 일이다. 그렇다고 여름이 그리운 것도 아니다. 겨울 아닌 그 어느 곳이 그리운 것이다. 이런 생각에 동남아 또한 고려 대상이 되지 못한다. 내가 찾고 싶은 것은 겨울 속의 봄이다. 김종길의 시 『성탄제』의 시구가 떠오른다. 『아버지가 눈을 헤치고 따오신 그 붉은 산수유 열매』. 계절의 흐름을 빨리 감기 할 순 없다. 하지만 모래사장에서 바늘을 찾듯 어릴 적 소풍날 보물찾기를 하듯 붉은 산수유 열매 같은 겨울 속 봄을 찾아 남쪽으로 떠나려 한다.

아무리 디지털이 편리하다 해도 어떨 때는 아날로그가 더 어울리는 경우가 있다. 오랜만에 25만분의 1 지도 책을 꺼낸다. 지도를 펼치고 남해안을 따라 적당한 곳을 찾아본다. 동쪽 시작점 부산부터 서쪽 끝점 목포까지 한곳 한곳을 짚어 본다. 해안선을 따라 오가기를 반복한다. 유독 한 곳에 손이 멈춘다. 아마도 그 곳으로 가야 할 것 같다. 그 곳은 바로 내 고향 삼천포(三千浦)다. 내 고향 삼천포는 남쪽 땅끝 작은 항구마을이다. 분명 고향이지만 고향이 어디냐고 물어오면 삼천포라 선뜻 답하지 않는다. 선친(先親)의 고향이고 지금도 많은 친지가 살고 있는 진주(晉州)를 고향이라 소개한다. 간단히 말해 실제 고향은 삼천포지만 대외적 고향은 진주인 셈이다. 이런 사정이 아니더라도 내가 진주를 대외적 고향으로 삼는 이유가 따로 있다. 고향이 어디냐는 질문에 삼천포라 답하면 열에 여덟은 뒷말이 따른다. 첫째는 잘 나가다가 빠진다는 그 곳 맞냐는 되물음이고 둘째는 전라도 어디 깨냐는 조금은 황당한 질문이다. 이런저런 설명과 대꾸가 싫어 진주라 둘러대는 경우가 대부분이다. 미안한 일이다. 대외적 고향은 어쩔지 모르지만 내 고향은 분명 삼천포. 친구가 전화를 해왔다. 지금도 고향에서 열심히 생업을 이어가고 있는 친구다. 일간 한번 다녀가라는 거다. 보고 싶다든지 그립다든지 하는 말은 없었다. 대신 제철 생선 이름을 들먹인다. 유혹의 향수를 뿌린다. 굳이 그런 말이 없더라도 다녀가라는 이유는 충분히 알 수 있었다. 속초에서 고향까지 500킬로가 넘는 길이다. 반나절은 족히 걸리는 거리다. 고향이 있고 오라는 친구가 있어 어렵지 않게 발심(發心)할 수 있었다. 오래 못 본 친구도 만나고 겨울 속 봄을 찾아 남벌에 나선다.

아침 댓바람부터 서둘렀다. 고향까지 가는 길은 두 개의 큰 산맥을 넘고 두 개의 큰 강을 건너야 한다. 태백산맥 대관령을 넘고 남한강을 건너고 다시 소백산맥 육십령을 넘고 남강을 건너야 한다. 그야말로 『산 넘고 물 건너서』이다. 멀리 덕유산 정상이 하얗다. 눈이 눈부시다. 하지만 거기가 끝이었다. 육십령 터널 지나 경상도 땅으로 들어서니 눈 씻고 봐도 눈이 없었다. 산에도 눈은 없었고 들에도 눈은 없었다. 산은 부끄러움을 잊은 듯 하얀 속옷을 모두 벗어 젖혔다. 아니 애당초 입질 않았다. 보는 이가 민망할 정도다. 햇볕의 두께 또한 달랐다. 윗동네 그것을 두세 겹 포개놓은 듯 따뜻했다. 겨울 피난 여행의 취지에 맞아 떨어지는 것 같아 내 발심(發心)을 칭찬해본다. 거리가 거리인 만큼 분명 힘든 여정이다. 그래도 고향 가는 길이고 겨울이 지겨워 피난 가는 길이다. 음악소리를 벗삼아 즐거운 마음과 함께 고향으로 향한다. 들었던 음악을 몇 번이나 다시 들었는지 모른다. 운전도 음악도 모두 지쳐갈 쯤 고향에 도착이다. 고속도로 톨게이트 정산원(定算員)이 요금을 확인하고 나를 쳐다본다. 『아~따 멀리서도 왔네예』라며 인사를 건넨다. 아마도 우리나라 최장 노선을 달렸을 것이다. 인사도 고맙지만 투박한 사투리에 여기가 고향임을 새삼 느낀다. 고향에 가까워질수록 길 오른편으로 바다가 뚜렷이 보인다. 곧게 뻗은 4차선 국도를 내려 바다와 나란한 2차선 지방도로 간다. 바다는 같은 바단데 속초와 다르다. 섬들이 점점이 떴다. 분명 고향바다지만 속초 바다에 눈이 익어선지 생소하게 다가온다. 속초 바다 즉 동해 바다는 바다와 육지의 경계가 확실하다. 파도가 닿는 곳 저쪽은 바다요 이쪽은 육지다. 좀 더 쉽게는 눈이 있는 곳은 육지고 눈이 없는 곳은 바다다. 에누리도 없고 어떤 미련도 없다. 하지만 남쪽 고향바다는 그렇지 않다. 분명 바다 한가운데 숲을 이고 선 섬들이 여기저기다. 경계를 확실히 할 눈도 없다. 흥정이 아직 끝나지 않은 듯 여운을 남긴다. 미련도 함께다. 고향 바다는 파도도 부드럽다. 동해 바다는 언제나 화가 나 있다. 특히 겨울이면 히스테리는 극에 달한다. 나 혼자 두 개 먹고 자기 하나 안 준 것처럼 노발대발이다. 지칠 만도 한데 좀처럼 지치는 법이 없다. 흡사 왈패와도 같다. 이에 비하면 고향 바다는 양반이다. 태풍이 오지 않는 이상 좀처럼 화내는 법이 없다. 태양과 달이 나란히 서면 조금 더 움직이고 그렇지 않으면 조금 덜 움직일 뿐이다. 이도 저도 아니라면 항상 춘향이 걸음이다. 그렇게 고울 수가 없다. 고향에 다다를수록 바다는 더 살갑게 다가왔다. 내 탯줄이 던져진 바다다. 내가 태어나던 날 9살 위 내 장형(長兄)은 내 탯줄을 바다에 던졌다 한다. 요즘 같으면 있을 수 없지만 반세기전에는 모두들 그랬다 한다. 아마도 저 바다는 우리 형제들 탯줄과 내 친구들 탯줄을 모두 받아주었을 것이다. 그런 고향바다가 오랜 운전의 수고를 위로라도 하는 듯 무언의 손 인사를 보낸다. 내 고향 삼천포는 주위로 잘난 이웃들 때문에 설움 또한 크다. 여수 밤바다에 밀리고 통영 미항(美港)에 기죽는다. 여수 좌수영과 통영 통제영에 대해 내세울건 대방 굴항(堀港) 밖에 없다. 누가 대방 굴항을 알겠는가. 통영의 박경리, 윤이상, 유치환, 김춘수 등등등등 쟁쟁한 예술가들에 비해 삼천포는 박재삼 하나다. 박재삼을 아는 이가 몇이나 되겠는가. 기가 죽는 수준이 아니라 비교자체가 애당초 무리다. 친구의 부자 부모를 부러워해본 적 없듯 잘난 이웃을 부러워해본 적 또한 없다. 내 탯줄을 품은 삼천포 앞바다가 몇 갑절은 좋다. 진주를 고향이라 소개했던 그간의 소행이 부끄러울 뿐이다. 구불구불한 지방도와 함께 가는 고향 바다가 마냥 부드럽다. 지겹게 봤던 파도의 하얀 포말이 어디에도 보이지 않는다. 파도소리도 한결 얌전하다. 부드러운 고향 바다를 보니 그나마 겨울의 지겨움이 조금은 반감되는 듯하다.

고향 길을 걷는다. 길이 미끄럽지 않다. 내 고향은 눈이 10년에 한 번 올까 말까 하는 곳이다. 어릴 때 딱 한 번 큰 눈이 내린 적이 있다. 너무 신난 나머지 정신 없이 놀았고 결국 감기에 걸리고 말았다. 그 때 고생이 아직도 기억 속에 남아 있다. 대학 예비소집 날

캠퍼스에 엄청난 눈이 내렸다. 말 그대로 함박눈이었다. 막 상경한 촌놈의 눈에는 그렇게 생경할 수가 없었다. 아마도 내 기억 속에 가장 인상적인 눈이었을 것이다. 올해도 고향에는 눈이 없었다. 쌓인 눈이 없으니 길도 얼지 않았다. 설사 눈이 내렸더라도 그 수명은 길지 않았을 것이다. 훈훈한 공기에 눈은 이내 질식사하고 말았을 것이다. 속초도 영동지방이라 여타 중부지방에 비해선 따뜻한 편이다. 하지만 중부지방은 중부지방이다. 위도 38도를 넘긴 곳이다. 영서지방보다 비교적 따뜻한 것이지 절대적으로 따뜻한 것은 아니다. 고향 길을 걷는 발걸음이 제 보폭을 유지한다. 속초에서는 잔걸음으로 걸어야 했다. 눈물 머금은 눈(目)은 얼지 않은 곳을 찾기 바빴다. 낙상 걱정 때문에 장갑은 필수였다. 하지만 이 곳은 모두 필요치 않았다. 걸음걸이에서도 겨울의 지겨움이 조금은 반감되는 듯하다.

보무도 당당하게 약속장소로 들어섰다. 겨울 대표음식을 맛볼 차례다. 물메기국이다. 여느 시골과 마찬가지로 어릴 적 겨울반찬은 단출했다. 동치미라고도 하는 물김치, 김장김치와 그로부터 파생된 멸치김치찌개 그리고 흔히들 시래기국으로 알고 있는 시락국이 전부였다. 멸치김치찌개는 김치찌개에 넣을 재료가 요즘처럼 흔하지 않아 마른 멸치만을 넣고 끓인 김치찌개다. 요즘으로 치자면 마른 멸치가 돼지고기요 참치요 꽁치요 햄인 셈이다. 그 땐 모두 그랬다. 단출한 반찬 중에서도 멸치김치찌개와 시락국은 겨울 내내 하루도 빠짐없이 식탁에 올랐다. 점심이 멸치김치찌개면 저녁은 시락국이었고 점심이 시락국이면 저녁은 멸치김치찌개였다. 그마저도 식사 때마다 요리하는 것이 아니었다. 큰 찜통으로 몇 일 분을 미리 만들어놓고 끼니마다 조금씩 데워 먹는 방식이었다. 단출한 반찬에 더해 김 한 장씩이 배식되었다. 아버지나 막내나 모두 한 장씩이었다. 어찌 보면 겨울반찬이 아니라 월동반찬이었다. 변함없는 식단에 신물이 날 때면 일주일에 한번 정도 라면으로 지겨움을 달랬다. 라면에도 김장김치는 꼭 들어갔다. 이도 지겨우면 겨울철 대표생선 물메기를 국으로 끓여 먹었다. 오늘의 메인디쉬 물메기국이다. 비싸진 않았지만 별미임에는 틀림이 없었다. 물메기국은 동해안의 대표 겨울음식 곰치국, 물곰국과 비슷하다. 생김새가 비슷해 상인들도 구분치 않는다 하는데 먹어본 식감으로는 분명 차이를 느낄 수 있었다. 동해안에서는 곰삭은 김치를 곁들어 빨갛게 끓여 내지만 물메기국은 그렇지 않다. 조리방법이 단순 그 자체다. 끓는 물에 물메기만 넣고 소금간을 한다. 한소끔 끓어 오르면 어슷썰기 한 무와 대파를 넣고 한번 더 끓여내면 끝이다. 물메기의 신선함을 믿고 요리하는 것이다. 찬바람이 불면서 살이 차기 시작하고 입춘이 지나면 살은 급격히 줄어든다. 물메기국 한 그릇이 먹음직스럽게 제공되었다. 여기에 생굴이 곁들여 졌다. 굴은 원래 이름에 -er이 들어가는 달에만 먹으라는 서양 속담이 있다. 9월 September부 터 12월 December까지가 제철이며 날이 선선해 식중 독 위험이 없다는 뜻이기도 하다. 이는 서양속담이니 서양 기후에 적합한 것이고 우리로 따지면 12월부터 입춘까지가 제철이라 할 수 있다.

친구와 소주잔을 기울인다. 친구는 괜스레 『물메기 살이 와 이리 퍼석퍼석하노. 굴도 영 씨알이 아이다』 라며 불만을 토로한다. 왠지 자진납세를 하는듯하다. 오랜만에 먹는 나로서는 맛있기만 한데 매일 먹는 친 구는 그렇지 않는가 보다. 1월 한참 추울 때는 진짜 맛 있었다는 둥 살이 비교가 안될 정도로 탱탱했다는 둥 설명이 길어졌다. 황순원 소설 『소나기』에 나오는 소년 같다. 윤초씨네 증손녀가 무가 맛이 없다 하자 평소 잘 만 먹던 무를 소년은 더 멀리 던져버린다. 친구도 지레 먼저 불만을 토로함으로써 나의 불만을 막으려는 뜻일 것이다. 쓸데없는 짓을 하고 있다. 고향 음식이 있고 고향 친구가 있는데 맛이 좀 덜하다고 해서 뭐가 대수겠는가. 그리고 나는 지금 겨울을 피해 남쪽으로 피난 온 것이 아닌가. 맛은 좀 덜할지 모르지만 친구의 사족(蛇足)같은 변명에서 봄이 멀지 않았음을 느낀다. 지금 이 음식이 제철을 맞아 절정의 맛을 내고 있다면 봄은 그 만큼 멀다는 의미일 것이다. 철 지난 음식 맛이 오히려 반갑다. 그만큼 겨울이 지루했다. 이왕에 온 거 좀 더 겨울과 멀어지고 싶었다. 출발 때부터 생각한 거지만 가능하다면 섬으로 들어가보고 싶었다. 친구가 통영 사량도(蛇梁島)를 추천한다. 행정구역은 통영이지만 실은 삼천포 생활권이다. 배로 50분 거리다. 사량도라면 한참 100대 명산을 찾아 다닐 때 다녀간 적이 있다. 사량도에는 지리망산(智異望山)이라는 300미터 높이의 산이 있다. 지리망산은 산정상에서 지리산 천왕봉이 보인다는 의미다. 물론 날씨가 아주 좋아야 가능한 일일 것이다. 그 날은 봄날이었다. 그 날 본 산과 바다의 봄 기운이 아직도 내 기억 속에 생생하다. 능선 좌우로 펼쳐진 남해바다 풍경이 너무나도 인상적이었다. 부풀어 오른 바다는 봄 햇살을 따뜻하게 받아내고 있었다. 진달래 핀 산등성이 풍경도 주홍글씨처럼 내 머리 속에

각인되어 있다. 하산 길에 우연히 만나 서로 놀랐던 야생 흑염소 가족들 기억 또한 잊지 않았다. 산행 마치고 포구에서 먹었던 해산물 한 접시 맛을 잊었다면 분명 거짓일 것이다. 멍게와 해삼 그리고 삶은 소라였다. 그 맛 또한 상세한 설명이 필요치 않을 듯 하다. 지금도 산을 추천해달라는 요청을 받으면 겨울은 태백산이요 봄은 사량도 지리망산이다. 이런저런 추억이 새록새록 하다. 무엇보다 이번 여행의 목적과 맞아 떨어진다. 체력도 체력이거니와 아직 겨울 언저리라 산이 위험할 것이다. 지리망산은 높이에 비해 산이 험하기로 유명하다. 간담을 서늘하게 하는 구간이 여럿이다. 특히 겨울은 그 정도가 심할 것이다. 산은 포기하더라도 - 굳이 올라야 한다 하더라도 그러지 않았을 것이다 - 아쉽지 않을 듯했다. 남은 소주를 마시고 걸어서 숙소로 간다. 혼자 걷고 싶어 친구에게 양해를 구했다. 속초와 달리 어깨를 쭉 폈다. 짧은 다리지만 넓은 보폭으로 걸었다. 이것만으로도 겨울을 벗어난 듯해 마음은 한정 없이 즐거웠다. 못다한 맛은 원망하지 않는다. 오히려 좋았다. 숙소로 돌아오자마자 얼른 사량도 배편 시간을 검색해 본다.

이른 아침 배 시간에 맞춰 선착장으로 나선다. 저쪽

에서 한 무리의 승객을 싫은 배가 항구로 들어서고 있다. 사량도에서 나오는 첫 배다. 까만색 브로콜리 같이 파마머리 일색의 할머니들이 배에서 내린다. 아마도 오늘은 삼천포 장날일 것이다. 4일과 9일, 열흘에 이틀씩이다. 모두 빨간 다라이와 검정색 비닐봉투를 들었다. 작은 조립식 손수레를 끄는 개명(開明)한 어르신도 계신다. 겨울이라 내다팔 물건이 마땅치 않을 터인데 예상과 달리 모두가 바리바리다. 모두가 모두에겐 소중한 것처럼 보였다. 아직 날씨가 추워 선실 내에 들어 앉았다. 배는 출발하고 오랜만에 바다에서 육지를 바라 보았다. 육지에서 바다를 보는 거야 매일의 일상이지만 바다에서 육지를 바라 보는 것은 흔치 않은 일이다. 곱디 곱고 착하디 착한 남해 바다 위를 조용하지 않은 동력선이 달린다. 털털인지 통통인지 문자로는 표현할 수 없는 소리를 내며 배는 목적지로 향한다. 승객이라곤 하릴없는 피난민과 등산객 몇 명이 전부였다. 멀리 화력발전소 굴뚝에서 연기가 새어 나온다. 모두 한 방향으로 흐른다. 내가 가는 방향과 같은 방향이다. 지금 이 배는 순풍을 타고 가고 있는 중이다. 순풍이라 해서 엔진소리가 잦아들진 않았다. 기계음이 나의 고막을 괴롭혔다. 갑갑함에 선실을 나왔다. 생각만큼 춥지 않았다. 선미 쪽으로 물보라를 일으키며 배는 잘도 달린다. 멀리 보이던 섬이 점점 다가선다. 저 섬 어딘가에 분명 봄이 숨어있으리라. 인디아나 존스 같은 심정으로 섬에 발을 디딘다. 보물 품은 보물섬에서 보물만 찾으면 될 일이다.

어차피 등산은 그른 일이다. 여유롭게 항구 근처를 거느릴 생각이다. 높지 않은 전망대 정도면 충분할 듯 하다. 동반자였던 등산객들은 내리자마자 이내 산머리로 사라졌다. 선배로서 안전산행을 기원해본다. 높이만 보면 만만하게 보일지라도 생각보다 험하다는 사실을 알고 있길 바란다. 혼자 외로워서 해보는 괜한 걱정이다. 부두 근처 방파제 위를 거닌다. 바쁠 거라고는 하나 없다. 파도도 마찬가지다. 파도라고 할 것도 없다. 물결이다. 물결도 바쁠 거라고는 없어 보인다. 라르고 (Largo) 박자에 맞춰 오고 가기를 천천히 한다. 물이 깊지 않아 물속의 수초도 훤히 들여다 보인다. 수초도 물결이 연주하는 박자에 맞춰 우아한 몸놀림을 하고 있다. 물결도 잔잔했고 수초의 몸놀림도 잔잔했다. 조금 높은 곳으로 올라야 할 것 같다. 동네 뒤편 언덕에 정자처럼 보이는 곳이 있다. 좁은 골목길을 따라 오른다. 길지 않은 길이지만 제법 가팔랐다. 몇 번의 심호

흡과 함께 정자에 다다를 쯤 보고야 말았다. 동백꽃이었다. 빨간 잎사귀에 노란 수술을 뿜어내고 있었다. 윤기 나는 초록색 잎사귀와 함께였다. 내가 그리던 붉은 산수유 열매는 바로 동백꽃이었다. 분명 내 머리 속엔 동백이 자리하고 있었을 것이다. 답을 찾지 못한 수수께끼마냥 머리 속을 맴돌고 있었을 뿐이다. 붉은 산수유를 답인 줄 알고 찾아 헤맸다. 하지만 오답이었다. 내가 보고 싶었던 것은 붉은 산수유가 아니라 동백이었다. 동백의 붉은 꽃잎과 노란 수술. 이것으로 대만족이다. 겨울만 아니면 뭐라도 좋았을 것이다. 하지만 봄의 전조를 보고 말았다. 정작 봄이 시작되면 동백의 목은 효수되고 사라질 것이다. 동백의 진멸(盡滅)은 곧 봄의 시작이다. 손해 보는 셈법은 아닌듯하다. 우연히 마주한 동백은 더할 나위 없는 유레카였다. 포구로 다시 내려와 길가에 마련된 좌판에 들린다. 아직 이른 시간이라 장사를 시작하지 않았다. 이런저런 사정을 이야기하고 자리에 앉을 수 있었다. 해산물 한 접시와 소주 한 병이었다. 오늘도 해삼과 멍게 그리고 굴이었다. 등산 후의 그 맛 같지는 않았지만 불만스럽지는 않았다. 멀리서 나를 태우고 나갈 배가 항구로 들어선다. 육지로 나와 친구를 다시 만났다. 친구가 어땠냐며 물었다.

그냥 웃었다. 사춘기 일기장 마냥 비밀스럽게 간직하기로 했다. 동백꽃 그게 뭐라고. 쑥스러워 친구에게 얘기할 수 없었다.

일정 같지 않은 일정을 마치고 다시 속초로 올라온다. 갔던 길과 마찬가지로 두 개의 큰 산맥과 두 개의 큰 강을 건너야 한다. 육십령 터널을 지나니 눈이 듬성듬성 이다. 멀리 보이는 덕유산의 눈 또한 내려갈 때 보았던 그 모습 그대로다. 하지만 오래지 않을 것이다. 조금만 기다리면 지금 내가 가는 이 길을 따라 봄도 따라 올라올 것이다. 여기보다 조금은 늦을 지 모르지만 분명 속초까지 올라올 것이다. 내가 할 수 있는 일이라곤 기다리는 거 밖에 없다. 봄은 분명 올 것이고 겨울은 분명 물러날 것이다. 이번 여행을 통해 내 눈으로 확인한 사실이다. 서울로 복귀할 때면 서울이 가까워질수록 이런저런 생각이 많았다. 하지만 속초로 복귀하는 지금 생각이 많지 않다. 이것 또한 『Why 속초?』라는 질문에 답이 될 수 있을 듯 하다. 반나절을 달렸다. 멀리 울산바위가 병풍처럼 둘러섰다. 바위 사이로 녹지 않은 눈이 그대로다. 하지만 이 또한 오래지 않을 것이다. 속초 톨게이트를 지난다. 정산원이 아무 말없이 교통카드만 건넨다. 무심하기 짝이 없다.

잘 가요 겨울

입춘 지난 지 한참이고 우수가 코앞이다. 우수면 대동강 물도 풀린다는데 겨울은 좀처럼 떠날 생각이 없다. 별다른 채비를 하지 않는 걸로 봐서 달포는 더 있을 심산인가 보다. 무슨 미련이 그렇게 남았는지 돌아보고 돌아보고를 반복한다. 볼 일 다 봤으면 쿨하게 퇴장하는 것이 모두에게 좋으련만 전혀 기미를 보이지 않는다. 눈치가 없는 건지 일부러 그러는 건지 알 수 없다. 꼬박 세 달이다. 못살게 굴만큼 굴었고 자기 하고 싶은 대로 할 만큼 했다. 떠날 듯 떠날 듯 변죽만 울리고 결코 떠나는 법이 없다. 길을 나섰더라도 피는

꽃을 시샘하여 다시 돌아온다. 자기가 없으면 꽃이 피지 못할까 걱정인가 보다. 실상은 정반댄데 다시 돌아와 짐을 푼다. 넉살도 좋다. 떠나는 이가 이러니 보내는 이도 이제나저제나 눈치만 볼 뿐이다. 올 때는 갑자기더니 갈 때는 질척인다. 이율배반이다.

밉지만 마냥 미워할 수 만은 없다. 겨울도 겨울 나름대로 변론이 있을 것이다. 나름의 역할이 있었기 때문이다. 기력 잃은 만물을 안락사 시키고 다음을 위한 밑그림을 그렸다. 겨울이 없었더라면 새 시작을 위한 휴식 또한 없었을 것이다. 겨울이 있어 한 세대를 마무리할 수 있었다. 쉼이 있어 다음이 아름다울 수 있는 것이다. 푸대접을 받으면서도 겨울은 자기 소임을 성실히 수행했다. 값진 희생을 밑거름으로 세상은 곧 천지개벽할 것이다. 어련히 알아서 물러날 건데 왜 그리 호들갑이냐고 나무라는 듯하다. 헌 신짝 버리듯 하는 것이 인간 정리(情理)냐고 볼멘소리를 할 수도 있다. 토사구팽(兎死狗烹)이 따로 없다 하소연도 할 수 있다. 토사(兎死)가 요란하지 않았을 뿐이지 분명 역할이 있었을 것이다. 눈과 얼음 그리고 차디찬 바람과 함께 자연이 명령한 과업을 멋지게 완수했다. 아직 못다한 일이 남아 미적거리는 거지 난들 무슨 미련이 있겠냐며 서운함을 토로하는 듯하다.

겨울의 변론에도 일리는 있다. 다짜고짜 미워만 했던 옹졸함을 뒤돌아 봐야 한다. 온갖 궂은 일은 도맡아 하고 좋은 소리는커녕 원망만 듣고 있는 겨울의 입장이 헤아려진다. 겨울의 수고가 없었다면 갈무리 또한 없었을 터이다. 갈무리가 없다면 새로운 시작도 기대하기 어려웠을 것이다. 봄을 기다리는 설렘도 없었을 것이다. 겨울의 고약한 행패는 이를 위한 불가피한 선택이었을 것이다. 겨울의 행패만 보았지 겨울이 그리고자 했던 큰 그림은 이해하지 못했다. 그렇다. 겨울은 분명 고마운 존재였다. 단지 모르고 있었을 뿐이다. 동물도 식물도 산도 바다도 강도 호수도 겨울 덕에 쉬어갈 수 있었다. 인간도 마찬가지였다. 겨울을 핑계로 게으름도 피울 수 있었다. 가을이 남기고 간 모든 황폐함을 겨울은 깨끗이 일소했다. 그러면서 새로운 봄을 맞을 밑그림을 성실히 그린 것이다.

회자정리(會者定離)라 했다. 만남이 있으면 헤어짐도 있는 법이다. 공과(功過)를 따지기 전에 자연의 섭리를 따라야 한다. 떠나야 다음이 오는 것이다. 마찬가지로 겨울이 가야 봄이 오는 것이다. 단지 오는 봄이 가는 겨울보다 좀 더 매력적이라 사람들은 봄이 오길 기다리는 것뿐이다. 봄이 오길 기다리는 것이지 겨울이 물러나길 기다리는 것은 아니다. 변명 같지 않은 변명이지만 넓은 마음으로 헤아려주기 바란다. 어차피 계절이 한 바퀴 돌면 다시 돌아와야 한다. 다시 돌아와 여느 겨울과 같이 맡은바 소임을 성실히 수행해야 한다. 만물에게 쉼을 제공해야 하고 다음을 위한 준비를 도와야 한다. 설사 못다한 소명이 있더라도 미련 없이 떠나길 바란다. 잘 가길 바란다. 올 겨울 속초에서 보낸 당신과의 시간은 잊지 못할 추억이 될 것이다. 다시 만날 날을 기다릴 것이다.

잘 가요 겨울.